CURSO BÁSICO DE LATIM

I

# GRADUS PRIMUS

PAULO RÓNAI
(Professor Catedrático do Colégio Pedro II)

# CURSO BÁSICO DE LATIM
# I
# GRADUS PRIMUS

Editora
Cultrix

*Gradus Primus.*
Copyright © 1943 Paulo Rónai.
Texto revisto segundo o novo acordo ortográfico da língua portuguesa.
22ª edição 2012.
9ª reimpressão 2025.

Coordenação editorial: Poliana Magalhães Oliveira
Diagramação: Pisces Comunicação
Revisão: Pisces Comunicação

---

CIP-BRASIL. CATALOGAÇÃO NA PUBLICAÇÃO
SINDICATO NACIONAL DOS EDITORES DE LIVROS, RJ

R675c
22. ed.

Rónai, Paulo, 1907-1992
Curso básico de Latim, I: Gradus Primus / Paulo Rónai. - 22. ed. 1.reimpr. - São Paulo : Cultrix, 2013.
ISBN 978-85-316-0101-9

1. Língua latina - Gramática. I. Título.

13-04613
CDD: 478
CDU: 811.124

---

Direitos reservados.
EDITORA PENSAMENTO-CULTRIX LTDA.
Rua Dr. Mário Vicente, 368 – 04270-000 – São Paulo, SP
Tel. (11) 2066-9000
E-mail: atendimento@editoracultrix.com.br
http://www.editoracultrix.com.br
Foi feito o depósito legal.

# SUMÁRIO

## LEITURAS

| | | |
|---|---|---|
| I. | Puella cantat | 15 |
| II. | Magistra et discipŭlae | 18 |
| III. | Domĭna et servae | 21 |
| IV. | Schola Semproniae | 25 |
| V. | Discipŭlae sedŭlae et pigrae | 29 |
| VI. | Duae amicae | 32 |
| VII. | Magistra monet discipŭlas | 35 |
| VIII. | Magistra sententĭas legit puellis | 38 |
| IX. | Vita agricolarum | 42 |
| X. | De aranĕā et muscā | 46 |
| XI. | De domĭnis et servis | 50 |
| XII. | De scholā Orbilĭi Pupilli | 55 |
| XIII. | Verba volant, scripta manent | 59 |
| XIV. | Puĕri in horto Rufi | 62 |
| XV. | Puĕri in Foro | 66 |
| XVI. | De salute et morbo | 70 |
| XVII. | De artĭbus | 75 |
| XVIII. | De ludis circensĭbus | 79 |
| XIX. | De aetate aurĕā | 84 |
| XX. | In scholā Orbilĭi Pupilli | 88 |
| XXI. | Consilĭa utilĭa patris ad filĭum | 100 |
| XXII. | De diluvĭo | 104 |
| XXIII. | De Deucalione et Pyrrhā | 109 |

| | | |
|---|---|---|
| XXIV. | De novis hominĭbus | 113 |
| XXV. | De amicitĭā et amicis | 117 |
| XXVI. | Ars bene vivendi | 121 |
| XXVII. | De arte Daedăli | 125 |
| XXVIII. | Salse dicta | 129 |
| XXIX. | Monĭta Daedăli ad filĭum | 133 |
| XXX. | De morte Icări | 137 |

## JOGOS

| | |
|---|---|
| Jogos de vocabulário | 92-93, 141-142 |
| Frases para completar | 99,143 |
| Jogos de declinação | 96, 144 |
| Jogos de conjugação | 97, 145-146 |
| Quebra-cabeças | 98, 147 |

## REGRAS DE GRAMÁTICA

| | | |
|---|---|---|
| 1. | Em latim, não há artigo | 16 |
| 2. | O sujeito e o predicado | 17 |
| 3. | O predicativo | 19 |
| 4. | Presente do indicativo do verbo *esse* | 20 |
| 5. | Os casos | 22 |
| 6. | O nominativo e o acusativo | 23 |
| 7. | O genitivo | 26 |
| 8. | Presente do indicativo da 1ª conjugação | 27 |
| 9. | O dativo | 30 |
| 10. | O ablativo | 33 |
| 11. | Presente do indicativo da 2ª conjugação | 33 |
| 12. | O vocativo | 36 |

13. Presente do imperativo das duas primeiras conjugações ... 37
14. Presente do indicativo e do imperativo da 3ª conjugação ... 39
15. Como distinguir os casos que têm a mesma terminação? ... 40
16. Presente do indicativo e do imperativo da 4ª conjugação ... 43
17. As declinações ... 44
18. Primeira declinação ... 44
19. Como se reconhece a declinação de um substantivo? ... 48
20. Os gêneros ... 48
21. Os adjetivos da primeira declinação ... 48
22. As preposições ... 48
23. Segunda declinação: nomes terminados em -*us* ... 52
24. O imperfeito do indicativo ... 53
25. Segunda declinação: nomes terminados em -*er* ... 56
26. Segunda declinação: *vir* ... 57
27. Segunda declinação: nomes terminados em -*um* ... 60
28. Declinação dos neutros ... 61
29. A primeira classe de adjetivos ... 63
30. Concordância do adjetivo com o substantivo ... 64
31. O futuro do indicativo ... 68
32. Vocativo irregular ... 72
33. Terceira declinação: genitivo plural em -*um* ... 72
34. Terceira declinação: genitivo plural em -*ĭum* ... 77
35. A segunda classe de adjetivos ... 81
36. Quarta declinação ... 86
37. Quinta declinação ... 90
38. Palavras variáveis e invariáveis ... 90
39. O presente do subjuntivo ... 101
40. Os adjetivos possessivos ... 102

41. O imperfeito do subjuntivo ............................................. 106
42. Declinação de *domus*. O locativo ................................ 106
43. O pretérito perfeito do indicativo ................................. 111
44. O pretérito mais-que-perfeito do indicativo ................. 114
45. O futuro perfeito do indicativo ..................................... 119
46. O pretérito perfeito do subjuntivo ................................ 122
47. O pretérito mais-que-perfeito do subjuntivo ................ 126
48. O supino em *-um* ........................................................ 131
49. O gerúndio ..................................................................... 131
50. O futuro do imperativo ................................................. 134
51. O infinitivo perfeito ...................................................... 135
52. O particípio presente .................................................... 138
53. O particípio futuro ........................................................ 139
54. O infinitivo futuro ......................................................... 139

## QUADROS SINÓPTICOS

As cinco declinações dos substantivos ................................. 94-95

As declinações dos adjetivos ................................................. 94-95

A voz ativa das conjugações regulares ................................. 148-151

# PREFÁCIO PARA A QUINTA EDIÇÃO

Em obediência ao programa de 1951, que diminuiu sensivelmente a matéria do primeiro ano, GRADUS PRIMUS aparece nesta nova edição bastante reduzido. Mas, como facilmente poderão verificar os meus colegas, não se modificou em nada o método adotado nas anteriores. As características desse método foram explicadas no prefácio da 1ª edição, que por este motivo é reimpresso a seguir.

Julgo de minha obrigação reproduzir aqui, do prefácio da 3ª, os calorosos agradecimentos a dois amigos: o professor Pierre Hawelka, da Faculdade de Filosofia da Universidade de São Paulo, e o professor Adriano da Gama Kury; ao primeiro por ter submetido cada palavra do livro a metódico e rigoroso exame, e ao segundo por haver feito cuidadosa revisão tipográfica das provas.

Agradeço ainda ao meu amigo Mário Teles pela conscienciosa revisão desta 5ª edição.

Quero também exprimir toda a minha gratidão aos colegas que me estimularam adotando GRADUS PRIMUS nas suas aulas ou honrando-me com os seus conselhos; especialmente ao Prof. Abelardo de Paula Gomes, do Ginásio Nova Friburgo, de quem adotei nesta edição várias sugestões.

*Rio de Janeiro, setembro de 1954.*
PAULO RÓNAI

# PREFÁCIO DA 1ª EDIÇÃO DE *GRADUS PRIMUS*

Valendo-me de minha própria experiência de professor, desejo oferecer com o presente livro uma contribuição eminentemente prática ao ensino da língua latina.

Embora meu trabalho reúna em si o livro de leitura, a gramática e o dicionário, procurei fazê-lo pequeno, resumido e de formato cômodo. Julguei inútil compor um grosso volume com milhares de linhas de texto de que só uma parte mínima poderia ser aproveitada nas aulas. Dar, conforme aos novos programas, todo o essencial, mas omitir todo o supérfluo, este foi o meu lema.

Outro intuito meu consistiu em escrever um livrinho elementar, claro e simples. Não perdi de vista nem por um minuto sequer que as explicações do livro são destinadas a alunos principiantes, apenas saídos da escola primária. Logo renunciei a toda e qualquer pretensão científica, apresentando os principais fatos da linguagem em linhas gerais, sem cuidar muito de miudezas e exceções. O próprio programa, aliás, deixa para o segundo ano de estudos a ampliação e a sistematização das noções de morfologia — o que pretendo fazer em outro livro, destinado à 6ª série do 1º grau.

Era também minha ambição redigir uma obra rigorosamente metódica, em que a leitura e a gramática sempre andassem juntas. Em cada lição coloquei no primeiro plano o texto que deve servir de ponto de partida a todo o ensinamento. Dos fatos gramaticais observados nesse texto é que parte cada vez a explicação gramatical, exposta na página seguinte. Nunca é a gramática um fim em si: é um meio que vem em auxílio dos alunos no momento necessário.

O método seguido é gradativo desde a primeira até a última lição. A compreensão de cada leitura supõe o conhecimento do vocabulário e das regras das leituras precedentes; eis por que é indispensável que as leituras sejam feitas na ordem do livro, sem omitir nenhuma delas. Por outro lado, nenhuma lição apresenta fatos gramaticais que não tenham sido explicados nas precedentes, ou no próprio parágrafo gramatical da página seguinte.

Dada a grande importância que atribuo à aquisição de um vocabulário bastante amplo, apresento em seguida a cada leitura uma lista das palavras novas nela contidas e, no fim do livro, para auxiliar a memória, um léxico completo das palavras de todas as leituras do livro. Será conveniente que os alunos copiem as palavras novas de cada lição num caderno especial de vocabulário.

Para facilitar a memorização de todos esses conhecimentos, recorreu-se aos exercícios mais variados, que acompanham cada leitura, além de exercícios de revisão que se seguem a cada grande capítulo de morfologia. Eles não concernem apenas à gramática e ao vocabulário; estendem-se também a rudimentos da história e das instituições romanas, ao exame e à discussão de todo o conteúdo das leituras. Nem todos estes exercícios deverão ser feitos por escrito. A maior parte, para ser feita oralmente, não exige mais de dois ou três minutos. É de desejar, no entanto, que entre uma aula e outra o aluno faça pelo menos um deles por escrito num caderno especial de exercícios.

Um dos objetivos visados, e não o último, foi apresentar um livrinho agradável, que o principiante folheasse com prazer. Procurou-se variar as leituras, revestindo-as da forma ora de narração, ora de diálogo, ora de perguntas e respostas; alegrá-las, inserindo de vez em quando enigmas, brinquedos e curiosidades; torná-las divertidas e ao mesmo tempo mais acessíveis por meio de graciosas ilustrações adrede feitas; pôr em relevo as partes mais importantes com todos os recursos da tipografia.

Com tudo isso, seguiu-se fielmente o novo programa no que se refere tanto à gramática quanto aos autores. Frases sentenciosas de Publílio Siro e outros escritores, escolhidas de preferência entre as mais simples, foram enquadradas em pequenas leituras para ficarem menos abstratas. O mesmo critério presidiu à seleção das inscrições. As leituras narrativas ou históricas, cuja maior parte foi tirada de Eutrópio, referem-se aos tempos da lenda e à época pitoresca dos sete reis e da república; todas elas relatam fatos que os alunos hão de encontrar necessariamente no decorrer de seus estudos ulteriores durante as 2ª, 3ª e 4ª séries como no curso clássico. Parece supérfluo observar que, aqui e ali, não hesitei em suprimir uma frase por demais complicada, nem em substituir uma ou outra construção subordinativa por construções coordenativas; *dabitur... licentia sumpta pudenter,* com a condição de que o conteúdo essencial e o estilo do autor fiquem respeitados.

Para resumir o sentido desta tentativa: quis o autor, por meio de uma iniciação elementar na língua, na vida e na história de Roma, despertar o interesse de jovens espíritos por uma matéria que, quando ensinada com entusiasmo e estudada com atenção, não é aborrecida e ainda menos morta. Possam os nossos alunos sentir-se atraídos pelos rudimentos de uma civilização sem cujo conhecimento não poderão nem bem assimilar nem julgar a cultura de nossos dias.

Resta-me o agradável dever de agradecer sinceramente ao meu querido amigo Aurélio Buarque de Holanda, professor do Colégio Pedro II, a sua colaboração, de inestimável valor. Devo-lhe, além de cuidadosa e segura revisão estilística, preciosa orientação no que diz respeito à terminologia gramatical e inúmeras sugestões que contribuíram para melhorar consideravelmente o meu trabalho.

*Rio de Janeiro, 8 de outubro de 1943.*
PAULO RÓNAI

*À memória de meu Pai*

# O SISTEMA DE ACENTUAÇÃO ADOTADO NESTE LIVRO

Sinais de quantidade:

˘  (braquia) indica vogal breve; p. ex. *fabŭla*;

¯  (mácron) indica vogal longa; p. ex. *vēni*.

Em latim o acento recai regularmente sobre a penúltima sílaba, quando esta é longa. Em tal caso não empregamos no presente livro nenhum sinal. P. ex. *amare* (pronunciar *amáre*).

Quando a penúltima é breve, o acento recai sobre a antepenúltima. Em tal caso indicamos sempre a quantidade da penúltima. P. ex. *legĕre* (pronunciar *légere*).

A quantidade das outras sílabas não é indicada neste livro senão em casos excepcionais, quando exigida por alguma razão especial; assim no ablativo *rosā*, para distingui-lo do nominativo *rosă*.

# I PUELLA CANTAT

Puella cantat. Magistra edŭcat. Aquĭla volat.

Puellae cantant. Magistrae edŭcant. Aquĭlae volant.

Discipŭla saltat. Poëta recītat. Agricŏla laborat.

Ranae natant. Reginae regnant. Nautae navīgant.

# VOCABULÁRIO

| | |
|---|---|
| *puella* | menina |
| *cantat* | canta |
| *magistra* | professora, mestra |
| *edŭcat* | educa |
| *aquĭla* | águia |
| *volat* | voa |
| *discipŭla* | aluna, discípula |
| *saltat* | pula |
| *poëta* | poeta |
| *recĭtat* | recita |
| *agricŏla* | agricultor |
| *laborat* | trabalha |
| *ranae* | rãs |
| *natant* | nadam |
| *reginae* | rainhas |
| *regnant* | reinam |
| *nautæ* | marinheiros, nautas |
| *navĭgant* | navegam |

# GRAMÁTICA

§ 1. Em latim, não há artigo.

Traduzamos a primeira frase com o auxílio do vocabulário. *Puella cantat*: "A menina canta".

A frase latina é mais breve do que a portuguesa. Por quê? Porque em latim não há artigo.

Por isso em latim a palavra *puella* pode igualmente significar "menina", ou "a menina", ou ainda "uma menina".

## § 2. O sujeito e o predicado.

Analisemos a primeira frase. É, logo se vê, uma oração simples. Sujeito: *puella*, predicado: *cantat*.

Podem-se analisar do mesmo modo a segunda e a terceira frases.

Nas frases do segundo parágrafo encontramos os mesmos sujeitos e os mesmos predicados, mas desta vez no plural.

Todos os substantivos desta leitura terminam em -*a* no singular, em -*ae* no plural (pronunciar: *é*).

Todos os verbos da leitura terminam em -*at* na 3ª pessoa do singular, em -*ant* na 3ª pessoa do plural.

## EXERCÍCIOS

1. Copiar a leitura, sublinhando o sujeito de cada oração.
2. Copiá-la novamente, sublinhando o predicado de cada oração.
3. Pôr no plural as frases do terceiro parágrafo.
4. Pôr no singular as frases do quarto parágrafo.
5. Substituir o predicado de cada frase por outro predicado.
6. Dizer em latim:

    As professoras educam. Meninas recitam. Um poeta canta. Agricultores trabalham. O marinheiro nada. Um marinheiro nada.

# II MAGISTRA ET DISCIPŬLAE

Sempronĭa est magistra. Livĭa est discipŭla. Discipŭlae sedŭlae sunt. Iulĭa et Silvĭa quoque discipŭlae sunt. Discipŭla bona semper sedŭla est. Magistra edŭcat, puellae laborant: Livĭa cantat, Iulĭa recĭtat, Silvĭa saltat. Discipŭlae malae non laborant. Magistra severa est.

## Colloquĭum

Sempronĭa: — Es sedŭla, Livĭa?

Livĭa: — Sum.

Sempronĭa: — Estis sedŭlae, puellae.

Discipŭlae: — Sumus.

# VOCABULÁRIO

| | |
|---|---|
| *et* | e |
| *Sempronĭa* | Semprônia |
| *est* | é |
| *Livĭa* | Lívia |
| *sedŭla* | aplicada, atenta |
| *Iulĭa* | Júlia |
| *Silvĭa* | Sílvia |
| *quoque* | também |
| *bona* | boa |
| *semper* | sempre |
| *mala* | má |
| *non* | não |
| *severa* | severa |
| *colloquĭum* | conversação |
| *es* | és |
| *sum* | sou |
| *estis* | sois |
| *sumus* | somos |
| *sunt* | são |

# GRAMÁTICA

## § 3. O predicativo.

Analisemos a primeira frase da leitura.

*Sempronĭa:* sujeito; *est magistra:* predicado.

Nesta oração o predicado se compõe, como vemos, de duas palavras: *est*, verbo, e *magistra*, predicativo. Os predicados da segunda e da terceira frases são igualmente compostos. Na terceira frase, o predicativo *sedŭlae* está no plural, porque o sujeito, *discipŭlae*, também está no plural.

Nas frases em que aparece o verbo *esse* ("ser"), geralmente há predicativo. Este predicativo concorda com o sujeito em número.

## § 4. Presente do indicativo do verbo ESSE ("ser" ou "estar").

| SINGULAR | PLURAL |
|---|---|
| 1ª pessoa *sum* "(eu) sou" | *sumus* "(nós) somos" |
| 2ª pessoa *es* "(tu) és" | *estis* "(vós) sois" |
| 3ª pessoa *est* "(ele) é" | *sunt* "(elas) são" |
| "(ela) é" | "(eles) são" |

Na tradução portuguesa das diversas pessoas do verbo colocamos o pronome pessoal para maior clareza; mas fique observado que, mesmo em português, o pronome sujeito é geralmente subentendido.

## EXERCÍCIOS

1. Copiar a leitura *Magistra et discipŭlae*, sublinhando os predicativos.
2. Acrescentar um predicado aos seguintes sujeitos: *Livĭa, Semprŏnĭa, rana, nautae*.
3. Procurar um sujeito para os seguintes predicados: *cantat, recĭtant, discipŭla est, sedŭlae sunt*.
4. Conjugar no sing. e no plur.: *Sum discipŭla, es discipŭla*, etc.
5. Conjugar no sing. e no plur.: *Non sum magistra*, etc.
6. Traduzir para o latim:
   Eu sou uma aluna aplicada.
   As rainhas são severas.
   A menina não é má.
   As alunas não são boas.
   Nós não somos poetas.

## III DOMĬNA ET SERVAE

Lucretĭa impĕrat. Anna, Drusilla et Lucilla obtempĕrant. Lucretĭa domĭna est. Anna, Drusilla et Lucilla servae sunt.

Servae amant domĭnam. Hodĭe Lucretĭa convivas exspectat. Idĕo servae sedŭlae sunt. Anna cenam parat, Lucilla mensam ornat, Drusilla portam servat. Domĭna amat servas.

## VOCABULÁRIO

| | |
|---|---|
| *domĭna* | senhora |
| *serva* | escrava |
| *Lucretĭa* | Lucrécia |
| *impĕrat* | manda |
| *Anna* | Ana |
| *Drusilla* | Drusila |
| *Lucilla* | Lucila |
| *obtempĕrant* | obedecem |
| *amant* | amam, estimam |
| *conviva* | convidado |
| *exspectat* | espera |
| *idĕo* | por isso |
| *cena* | ceia, jantar |
| *parat* | prepara |
| *mensa* | mesa |
| *ornat* | orna, enfeita |
| *porta* | porta |
| *servat* | vigia |
| *hodĭe* | hoje |

## GRAMÁTICA

### § 5. Os casos.

Traduzamos a primeira frase do segundo parágrafo.

*Servae amant domĭnam*: "As escravas estimam a senhora".

Traduzamos agora a última frase da leitura.

*Domĭna amat servas*: "A senhora estima as escravas".

Verificamos que à palavra portuguesa "senhora" correspondem em latim duas formas diferentes: *domĭnam* na primeira das frases citadas, *domĭna* na segunda. A análise das duas frases há de explicar essa diferença.

Na frase "As escravas estimam a senhora" a palavra "senhora" é objeto direto. Na frase "A senhora estima as escravas" a palavra "senhora" é sujeito. Ora, em latim o mesmo nome tem formas diferentes, segundo a função que desempenha na oração; estas formas chamam-se casos.

## § 6. O nominativo e o acusativo.

O caso do sujeito é o nominativo. Terminações:

*-a* no singular: *-ae* (pronunciar *é*) no plural.

O caso do objeto direto é o acusativo. Terminações:

*-am* no singular: *-as* no plural.

**N.B.** O predicativo que encontramos ao lado das formas do verbo *esse* está no nominativo.

## EXERCÍCIOS

1. Formar o nominativo sing. e plur. de *puella, rana, serva, nauta*.
2. Formar o acusativo sing. e plur. desses mesmos nomes.
3. Indicar na leitura:
   a) os sujeitos;
   b) os objetos diretos;

c) os predicados.

4. Conjugar nas diversas pessoas do sing. e plur.: *Bona discipŭla sum.*

5. Traduzir para o latim:

    As senhoras mandam.

    As escravas não estimam as senhoras.

    Lucrécia espera o convidado.

    O convidado não espera Lucrécia.

6. Traduzir ainda:

    As professoras são severas.

    A aluna estima as professoras.

    As alunas trabalham.

    Semprônia educa as alunas.

    A escrava está atenta.

## IV SCHOLA SEMPRONĬAE

Schola Semproniae clara est. Discipŭlae Semproniae amant magistram. Puellae sedŭlae diligenter frequentant scholam. Magistra saepe fabŭlas narrat. Fabŭlae poëtarum delectant discipŭlas.

### Colloquĭum

Lucretĭa: — Silvĭa, amas scholam Semproniae?

Silvĭa: — Amo valde.

Lucretĭa: — Et vos, puellae, amatis magistram?

Livĭa: — Nos quoque amamus et magistram et scholam.

Lucretĭa: — Non est severa magistra?

Iulĭa: — Est severa, sed iusta.

## VOCABULÁRIO

| | |
|---|---|
| *schola* | escola |
| *delectant* | deleitam |
| *clara* | famosa |
| *valde* (adv.) | muito |
| *dilingenter* (adv.) | assiduamente |
| *vos* | vós |
| *frequentant* | frequentam |
| *nos* | nós |
| *saepe* (adv.) | muitas vezes |
| *et... et* | tanto... como |
| *fabŭla* | fábula |
| *sed* | mas |
| *narrat* | narra, conta |
| *iusta* | justa |

## GRAMÁTICA

### § 7. O genitivo.

Aqui surge um "caso" novo, como a análise da frase há de mostrá-lo.

*Schola*: sujeito; *Semproniae*: adjunto restritivo (ou adjetivo); *clara est*: predicado composto (v. § 3).

Tradução da primeira frase da leitura: "A escola de Semprônia é famosa".

Assim, na última frase, *poëtarum* ("dos poetas") desempenha também a função de adjunto restritivo.

O caso do adjunto restritivo (ou adjetivo) é o *genitivo*. Terminações:

-*ae* (pronunciar *é*) no singular       -*arum* no plural

**N.B.** Em português o adjunto restritivo é expresso por meio da preposição "de".

## § 8. Primeira conjugação.

### PRESENTE DO INDICATIVO

Modelo: *amare* ("amar")

am-*o* ("eu amo")

ama-*s* ("tu amas")

ama-*t* ("ele / ela" ] ama")

ama-*mus* ("nós amamos")

ama-*tis* ("vós amais")

ama-*nt* ("eles / elas" ] amam")

Os verbos da 1ª conjugação têm o presente do infinitivo em -*are* e conjugam-se como *amare*. Assim os verbos *cantare, volare, natare*, etc.

# EXERCÍCIOS

1. Indicar na leitura:

    a) os sujeitos;

    b) os objetos diretos;

    c) os adjuntos restritivos.

2. Formar o gen. sing. e plur. de *regina, aquĭla, mensa, schola*.

3. Formar os nom., ac. e gen. do sing. e do plur. de *fabŭla*.

4. Completar as frases seguintes:

   *Discipŭla Semproniae...*
   *Fabŭlae poëtarum...*
   *Schola puellarum...*
   *Servae Lucretiae...*

5. Verter em latim:

   A porta da escola.

   A mesa das professoras.

   O jantar da escrava.

   As escravas de Lucrécia.

# V — DISCIPŬLAE SEDŬLAE ET PIGRAE

Magistra sententĭas poëtarum dictat puellis. Postĕa discipŭlae sedŭlae sententĭas recĭtant magistrae. Discipŭlae pigrae sententĭas ignorant. Magistra sedŭlas laudat, pigras castigat. Sempronĭa pupam dat Silvĭae, quia diligenter laborat. Discipŭlae Sempronĭam comĭter salutant.

**N.B.** De agora em diante, os verbos latinos serão registrados com as 1ª e 2ª pessoas do presente do indicativo e com o presente do infinitivo; o equivalente português será dado só no infinitivo presente. Assim por exemplo:

*dicto, -as, -are*        ditar

## VOCABULÁRIO

| | |
|---|---|
| *sententĭa* | sentença |
| *dicto,-as,-are* | ditar |
| *postĕa* (adv.) | em seguida |
| *pigra* | preguiçosa |
| *ignoro,-as,-are* | ignorar |
| *laudo,-as,-are* | louvar |
| *castigo,-as,-are* | castigar |
| *pupa* | boneca |
| *do, das, dare* | dar |
| *quia* (conj.) | porque |
| *comĭter* (adv.) | delicadamente, afavelmente |
| *saluto,-as,-are* | cumprimentar, saudar |

## GRAMÁTICA

### § 9. O dativo.

Na primeira frase desta leitura há outro "caso", que ainda não conhecemos. Analisemos a frase:

*Magistra*: sujeito; *sententĭas*: objeto direto; *poëtarum*: adjunto restritivo; *dictat*: predicado; *puellis*: objeto indireto.

Traduzamos a frase: "A professora dita as sentenças dos poetas às meninas" (ou "para as meninas").

Na frase seguinte há também objeto indireto, mas desta vez no singular: *magistrae*, "a professora" (ou "para a professora").

O caso do objeto indireto é o *dativo*. Terminações:

-*ae* (pronunciar *é*) no singular          -*is* no plural

**N.B.** Em português o objeto indireto é expresso por meio das preposições "a" ou "para".

# EXERCÍCIOS

1. Copiar a leitura, sublinhando a lápis os objetos diretos, a tinta os objetos indiretos.
2. Formar o dat. sing. e plur. de *pupa, sententĭa, schola, fabŭla*.
3. Dizer em latim:
   Aos poetas.
   Para as escolas.
   À rã.
   Para uma rainha.
4. Completar as frases seguintes com um objeto indireto:
   *Sempronĭa fabŭlam dictat...*
   *Discipŭlae obtempĕrant...*
   *Domĭna... impĕrat.*
5. Encontrar um objeto direto e um objeto indireto para a frase seguinte:
   *Magistrae... narrant...*
6. Traduzir para o latim:
   Lívia recita a fábula para Semprônia.
   Lucrécia dá um jantar às amigas.
   As escravas obedecem às boas senhoras.

# VI. DUAE AMICAE

Silvĭa est amica Iulĭae. Amicae semper unā sunt; unā laborant, cantant, rident, pilā ludunt. Iulĭa valde amat amicam: Silvĭa vehementer gaudet amicitĭā Iulĭae. Hodĭe amicae aras dearum rosis ornant.

## VOCABULÁRIO

| | | | |
|---|---|---|---|
| *duae* | duas | *vehementer* (adv.) | muito |
| *amica* | amiga | *gaudĕo,-es,-ēre* | alegrar-se |
| *unā* | juntas | *amicitĭa* | amizade |
| *ridĕo,-es,-ēre* | rir | *ara* | altar, ara |
| *pila* | bola | *dea* | deusa |
| *ludunt* | brincam, jogam | *rosa* | rosa |

# GRAMÁTICA

## § 10. O ablativo.

Nas expressões *pilā ludunt* ("jogam com a bola"), *gaudet amicitiā Iuliae* ("alegra-se com a amizade de Júlia"), *rosis ornant* ("ornam com rosas"), as palavras *pilā, amicitiā, rosis* desempenham o papel de adjunto circunstancial (ou adverbial).

O caso do adjunto circunstancial é o ablativo. Terminações:

-*ā* no singular (a longo!)   -*is* no plural

**N.B.** Em português o adjunto circunstancial é expresso por meio da preposição "com" (ou outras).

## § 11. Segunda conjugação.

**PRESENTE DO INDICATIVO**

Modelo: video ("ver")

vide-*o* ("eu vejo")   vide-*mus* ("nós vemos")

vide-*s* ("tu vês")   vide-*tis* ("vós vedes")

vide-*t* ("ele"⎫ vê")   vide-*nt* ("eles"⎫ veem")
     ("ela"⎭           ("elas"⎭

Todos os verbos da 2ª conjugação têm o presente do infinitivo em -*ēre* (com e longo!) e se conjugam no presente do indicativo como *vidĕo*. Assim: *gaudĕo, tacĕo* ("calar-se"), *parĕo* ("obedecer"), *habĕo* ("ter"), etc.

# EXERCÍCIOS

1. Copiar a leitura, sublinhando a lápis os sujeitos, e a tinta os adjuntos adverbiais.

2. Formar os abl. sing. e plur. de *fabŭla, porta, pila, corona, cena.*
3. Dar todos os casos de *cena* no singular.
4. Dar todos os casos de *amica* no plural.
5. Conjugar no presente do indicativo: *habĕo, parĕo, dicto, tacĕo.*
6. Traduzir para o latim:

   As alunas de Semprônia jogam com as bolas.

   A escrava orna com rosas a mesa da senhora.

   As meninas alegram-se com a amizade da professora.

# VII | MAGISTRA MONET DISCIPŬLAS

Livĭa, tace! Iulĭa, labora! Silvĭa, es bona et sedŭla! Discipŭlae, scholam diligenter frequentate, este sedŭlae, parete magistris! Date mihi tabellas! Recitate fabŭlam! Puellae, plantas aquā rigate! Poëtas amate, historĭam patrĭae cogitate!

## VOCABULÁRIO

| | |
|---|---|
| *tacĕo,-es,-ere* | calar-se |
| *parĕo,-es,-ere* | obedecer |
| *monĕo,-es,ere* | advertir |
| *mihi* | me, a mim |
| *tabella* | tabela (p/escrever) |
| *planta* | planta |
| *aqua* | água |
| *rigo,-as,-are* | regar |
| *historĭa* | história |
| *patrĭa* | pátria |
| *cogĭto,-as,-are* | cogitar, meditar |

## GRAMÁTICA

### § 12. O vocativo.

Analisemos a primeira frase dita pela professora: *Livĭa, tace!* ("Lívia, cala-te!"). Predicado: *tace*. Sujeito oculto: *tu*. Que é então a palavra *Livĭa*? É um chamamento ou interpelação. Nas 2ª, 3ª e 4ª frases também há chamamentos ou interpelações: *Iulĭa*; *Silvĭa*; *discipŭlae*.

O caso do chamamento ou da interpelação é o *vocativo*. Terminações:

-*a* no singular                    -*ae* (pronunciar *é*) no plural

## § 13. Presente do imperativo.

|  | ***sum*** | ***amo*** | ***vidĕo*** |
|---|---|---|---|
| **SING.** | *es* ("sê") | ama ("ama") | vide ("vê") |
| **PLUR.** | *este* ("sede") | ama-*te* ("amai") | vide-*te* ("vede") |

## EXERCÍCIOS

1. Formar o voc. sing. e plur. de *poëta, serva, magistra, puella*.
2. Formar todos os casos de *sedŭla serva* no singular.
3. Formar todos os casos de *bona domĭna* no plur.
4. Conjugar no pres. do imp.: *canto, parĕo, regno, tacĕo*.
5. Dizer em latim:

    Trabalha!

    Cala-te!

    Obedece!

    Calai-vos!

6. Traduzir por escrito:

    As alunas amam a escola.

    Alunas, amai a escola.

    Marinheiros, defendei (*servo, -as, -are*) a pátria!

    Poeta, narra a história dos marinheiros para as meninas!

# VIII MAGISTRA SENTENTĬAS LEGIT PUELLIS

Semprŏnĭa pulchras sententĭas poëtarum legit discipŭlis. Puellae sententĭas describunt et discunt. Ecce sententĭae:

**I.** Non scholae, sed vitae discĭmus.

**II.** Historĭa est magistra vitae.

**III.** Aquĭla non captat muscas.

**IV.** Melĭus est iniurĭam accipĕre quam facĕre.

Sententĭae poëtarum placent puellis.

## VOCABULÁRIO

| | |
|---|---|
| *pulchra* | bonita |
| *lego,-is,-ĕre* | ler |
| *describo,-is,-ĕre* | copiar |
| *disco,-is,-ĕre* | aprender |
| *ecce* (interj.) | eis; eis aqui |
| *vita* | vida |
| *capto,-as,-are* | apanhar |
| *musca* | mosca |
| *meliŭs* | melhor |
| *iniurĭa* | injustiça, ofensa |
| *accipĭo,-is,-ĕre* | receber, sofrer |
| *quam* (conj.) | do que |
| *facio,-is,-ĕre* | fazer |
| *placĕo,-es,-ere* | agradar |

## GRAMÁTICA

§ 14. Terceira conjugação.

Os verbos da 3ª conjugação têm o presente do infinitivo em *-ĕre* (com *e* breve!). Alguns deles têm a primeira pessoa do singular do presente do indicativo terminada em *-o*; estes se conjugam como *lego*. Assim: *describo* e *disco*. Outros a têm terminada em *-io*; estes se conjugam como *facĭo*. Assim: *accipĭo*.

**PRESENTE DO INDICATIVO**

a) Modelo: *lego* ("ler")

**PRESENTE DO IMPERATIVO**

leg-*o* ("eu leio")      leg-*ĭmus* ("nós lemos")      lege ("lê")
leg-*is* ("tu lês")      leg-*ĭtis* ("vós ledes")      leg-*ĭte* (*"lede"*)
leg-*it* ("ele      ⎤ lê")      leg-*unt* ("eles      ⎤ leem")
     ("ela       ⎦          ("elas       ⎦

b) Modelo: *capĭo* ("prender")

capĭ-*o* ("eu prendo")   capĭ-*mus* ("nós prendemos")   cape ("prende")
capi-*s* ("tu prendes")   capĭ-*tis* ("vós prendeis")   capĭ-*te* ("prendei")
capi-*t* ("ele      ⎤ prende")   capĭ-*unt* ("eles      ⎤ prendem")
     ("ela       ⎦                      ("elas       ⎦

## § 15. Como distinguir os casos que têm a mesma terminação?

Entre os casos até agora explicados há vários com a mesma terminação. Assim, *-ae* pode ser terminação do genitivo ou do dativo no singular, do nominativo ou do vocativo no plural. Igualmente, *-a* pode ser terminação do nominativo, vocativo ou ablativo no singular. (É verdade que a vogal final do nominativo e do vocativo é breve, enquanto a do ablativo é longa; mas nos textos latinos — exceto os destinados a principiantes — geralmente não é marcada a brevidade ou a longura, isto é, *a quantidade da vogal*.) A terminação *-is* pode ser do dativo ou do ablativo plural. Como distingui-los, então?

A análise inteligente geralmente resolve a dúvida. Veja-se por exemplo a última frase da leitura. Pela terminação, a palavra *sententĭae* poderia estar em quatro casos diferentes. (Quais?) Mas analisemos a frase começando pelo predicado *placent*. Estando o predicado no plural, o sujeito deve estar no plural (ou ser composto de vários sujeitos no singular). Ora, a frase não contém senão uma palavra que possa ser um nominativo plural, e essa é justamente *sententĭae*. Portanto essa palavra não pode ser nem genitivo, nem dativo singular, nem vocativo plural.

## EXERCÍCIOS

1. Conjugar no pres. do ind. e do imp.: *disco, accipĭo, capto, placĕo*.
2. Formar todos os casos, no sing. e no plur., de *iniurĭa*.
3. Achar o sujeito da frase seguinte:

   *Iulĭa amicitĭā magistrae gaudet.*
4. Explicar a função das diversas palavras terminadas em *-ae* nesta frase.

   *Discipŭlae scholae recĭtant fabŭlas poëtarum Semproniae.*
5. Reconhecer se nas duas frases seguintes as palavras terminadas em *-is* estão ou não no mesmo caso:

   *Magistra sententĭas dictat puellis.*

   *Puellae gaudent sententĭis.*
6. Traduzir por escrito para o latim:

   Amigas, lede a história da águia e das moscas.

   As alunas aprendem as fábulas do poeta.

   As histórias dos poetas agradam muito à menina.

# IX VITA AGRICOLARUM

Agricŏlae semper sub divo vivunt. Parum dormĭunt, mature surgunt. Terram arant, plantas aquā rigant. Avicŭlas audĭunt, umbrā silvarum gaudent. Diligentĭa agricolarum patrĭam nutrit. Poëtae laudant vitam agricolarum.

## VOCABULÁRIO

*sub divo* — ao ar livre

*vivo,-is,-ĕre* — viver

*parum* (adv.) — pouco

| | |
|---|---|
| *dormĭo,-is,-ire* | dormir |
| *mature* | cedo |
| *surgo,-is,-ĕre* | levantar-se |
| *terra* | terra |
| *aro,-as,-are* | lavrar |
| *avicŭla* | passarinho |
| *audĭo,-is,-ire* | ouvir, escutar |
| *umbra* | sombra |
| *silva* | selva, floresta |
| *diligentĭa* | diligência |
| *nutrĭo,-is,-ire* | nutrir, alimentar |

## GRAMÁTICA

### § 16. Quarta conjugação.

Modelo: *audĭo* ("ouvir")

**PRESENTE DO INDICATIVO**                **PRESENTE DO IMPERATIVO**

audĭ-*o* ("eu ouço")     audi-*mus* ("nós ouvimos")     audi ("ouve")

audĭ-*s* ("tu ouves")    audi-*tis* ("vós ouvis")       audi-*te* ("ouvi")

audi-*t* ("ele/ela ouve")    audĭ-*unt* ("eles/elas ouvem")

Os verbos da 4ª conjugação têm o presente do infinitivo em *-ire*. Conjugam-se como *audĭo*. Assim: *dormĭo* e *nutrĭo*.

## § 17. As declinações.

Encontramos até agora os casos seguintes: nominativo, vocativo, acusativo, genitivo, dativo, ablativo. O conjunto dos casos chama-se declinação. Declinar um nome significa enumerar os seus seis casos no singular e no plural, ou, em outras palavras, enunciar as diversas formas que ele reveste conforme as funções que desempenha na frase.

Em latim declinam-se os substantivos, os adjetivos e os pronomes. A declinação de todas estas palavras não é, porém, idêntica. Existem cinco maneiras de declinar os substantivos, isto é, cinco declinações.

## § 18. Primeira declinação.

**NOMES TERMINADOS EM –A**

Modelo: *rosa,-ae* ("rosa").

| CASO | FUNÇÃO | SING. | TRADUÇÃO | PLUR. | TRADUÇÃO |
|---|---|---|---|---|---|
| **Nom.** | sujeito | ros-*a* | "a rosa" | ros-*ae* | "as rosas" |
| **Voc.** | interpelação | ros-*a* | "ó rosa!" | ros-*ae* | "ó rosas!" |
| **Ac.** | obj. direto | ros-*am* | "a rosa" | ros-*as* | "as rosas" |
| **Gen.** | adj. restr. | ros-*ae* | "da rosa" | ros-*arum* | "das rosas" |
| **Dat.** | obj. indireto | ros-*ae* | "à rosa", "para a rosa" | ros-*is* | "às rosas" "para as rosas" |
| **Abl.** | adj. circunst. | ros-*ā* | "com a rosa", "pela rosa" | ros-*is* | "com as rosas" "pelas rosas" |

# EXERCÍCIOS

1. Conjugar no presente do ind. e do imp.: *vivo, dormĭo, nutrĭo.*
2. Procurar na leitura os verbos da I conjugação e depois os da II conjugação, da III e da IV.
3. Pelo modelo de *rosa*, declinar: *terra, agricŏla, puella, mensa.*
4. Dizer em que casos podem estar e que podem significar as palavras seguintes: *aqua; patrĭae; poëtis.*
5. Transportar as três primeiras frases da leitura para o singular.
6. Traduzir por escrito:

   Os lavradores amam a terra da pátria.

   As alunas escutam os passarinhos da floresta.

   A diligência das escravas nutre as senhoras.

# X — DE ARANĚĀ ET MUSCĀ

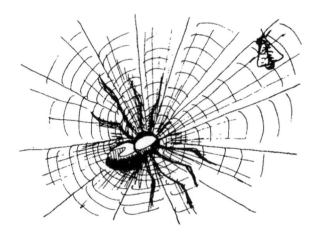

Araněa supra fenestram habitat. Telam texit et cenam exspectat.

E viā musca parva per fenestram advŏlat. Dum pulchram texturam considěrat, subĭto in telam incĭdit.

Araněa accurrit, bestiŏlam curiosam corrĭpit.

Propter imprudentĭam musca vitam amittit.

# VOCABULÁRIO

| | |
|---|---|
| *de* (prep. de abl.) | de, acerca de |
| *aranĕa,-ae* f. | aranha |
| *supra* (prep. de ac.) | sobre |
| *fenestra,-ae* f. | janela |
| *habĭto,-as,-are* | habitar |
| *tela,-ae* f. | teia |
| *texo,-is,-ĕre* | tecer |
| *e* (prep. de abl.) | de, do lado de |
| *via,-ae* f. | via, rua |
| *parva* | pequena |
| *per* (prep. de ac.) | através de |
| *advŏlo,-as,-are* | voar para dentro |
| *dum* (conj.) | enquanto |
| *textura,-ae* f. | tecido |
| *considĕro,-as,-are* | examinar |
| *subĭto* (adv.) | de repente |
| *in* (prep. de ac. ou abl.) | em |
| *incĭdo,-is,-ĕre* | cair |
| *accurro,-is,-ĕre* | acorrer |
| *bestiŏla,-ae* f. | inseto |
| *curiosa* | curiosa |
| *corripĭo,-is,-ĕre* | agarrar |
| *propter* (prep. de ac.) | por causa de |
| *imprudentĭa,-ae* f. | imprudência |
| *amitto,-is,-ĕre* | perder |

# GRAMÁTICA

## § 19. Como se reconhece a declinação de um substantivo?

Pelo genitivo singular. Como veremos, este tem terminação diferente em cada uma das cinco declinações: *-ae* na I, *-i* na II, *-is* na III, *-us* na IV, *-ei* na V. Por isso, a partir desta lição daremos no vocabulário o genitivo de cada substantivo ao lado do nominativo. P. ex.: *aranĕa,-ae*.

## § 20. Os gêneros.

Em latim, como em português, há gêneros gramaticais. A partir desta lição marcaremos no vocabulário o gênero de cada substantivo por meio de abreviaturas. P. ex.: *aranĕa,-ae* f.; *poëta,-ae* m.

Os substantivos da I declinação são femininos, com exceção daqueles que designam homens, como *poëta*, *agricŏla*, *nauta*. Estes naturalmente são do gênero masculino.

## § 21. Os adjetivos da I declinação.

Os adjetivos femininos terminados em *-a*, como *pulchra*, *parva*, *bona* declinam-se como os substantivos.

## § 22. As preposições.

Muitas vezes o adjunto circunstancial não se exprime por meio do simples ablativo, mas por meio de nomes precedidos de preposições. Certas preposições regem o acusativo (assim: *per*, *propter*, *supra*, etc.). Outras regem o ablativo (*de*, *e*, etc.). A preposição *in* rege em certas ocasiões o acusativo, em outras o ablativo.

Nenhuma preposição rege nominativo, vocativo, genitivo ou dativo.

# EXERCÍCIOS

1. Procurar, na lista seguinte, os nomes masculinos: *mensa, magistra, poëta, serva, agricŏla, domĭna, discipŭla, nauta.*

2. Declinar no sing. e no plur.: *aranĕa; musca; mala; parva.*

3. Declinar juntas: *aranĕa mala; musca parva.*

4. Copiar a leitura, sublinhando os adjuntos adverbiais formados com o auxílio de preposições.

5. Dizer em latim:

   Sobre a mesa.

   Do lado da floresta.

   Acerca da professora e das alunas.

   Através das janelas.

   Por causa da vida.

6. Traduzir por escrito:

   As meninas frequentam a escola por causa da amizade da professora.

   Lemos fábulas bonitas acerca dos insetos.

# XI. DE DOMĬNIS ET SERVIS

Romani opulenti multos servos habebant.

Rufus quoque domĭnus multorum servorum erat. Servi Rufi amabant domĭnum, quia bonus erat: servis sedŭlis pecunĭam dabat, ne malos quidem verberabat, sicut multi.

Servi dominorum severorum vitam misĕre trahebant, saepe vapulabant et esuriebant. Raro servi domĭnis, domĭni servis contenti erant.

# VOCABULÁRIO

| | |
|---|---|
| *domĭnus,-i,* m. | senhor |
| *servus,-i* m. | escravo |
| *Romanus,-i* m. | o romano |
| *opulentus* | opulento, rico |
| *multus* | muito |
| *Rufus,-i* m. | Rufo |
| *bonus* | bom |
| *sedŭlus* | aplicado, atento |
| *pecunĭa,-ae* f. | dinheiro |
| *ne... quidem* | nem sequer |
| *malus* | mau |
| *esurĭo,-is,-ire* | estar com fome, passar fome |
| *verbĕro,-as,-are* | açoitar, espancar |
| *sicut* (conj.) | (assim) como |
| *vapŭlo,-as,-are* | ser açoitado, apanhar |
| *severus* | severo |
| *misĕre* (adv.) | miseravelmente |
| *raro* (adv.) | raramente |
| *traho,-is,-ĕre* | arrastar |
| *contentus* | contente |

# GRAMÁTICA

## § 23. Segunda declinação.

### NOMES TERMINADOS EM -US

Modelo: *domĭnus,-i* ("senhor")

Os substantivos e adjetivos cujo nominativo singular termina em *-us*, e genitivo singular em *-i*, pertencem à II declinação. Declinam-se da seguinte maneira:

| CASO | SINGULAR | PLURAL |
|---|---|---|
| Nominativo | domĭn-*us* | domĭn-*i* |
| Vocativo | domĭn-*e* | domĭn-*i* |
| Acusativo | domĭn-*um* | domĭn-*os* |
| Genitivo | domĭn-*i* | domĭn-*orum* |
| Dativo | domĭn-*o* | domĭn-*is* |
| Ablativo | domĭn-*o* | domĭn-*is* |

> Assim se declinam p. ex. *discipŭlus* ("aluno"), *hortus* ("jardim"); *ocŭlus* ("olho"); os adjetivos *bonus*, *malus*, *sedŭlus*, *severus*, etc.

Os substantivos em *-us* da II declinação são quase todos masculinos. Os nomes de árvores são porém do gênero feminino. Assim: *pirus,-i* f. ("pereira"), *ulmus,-i* f. ("olmeiro").

## § 24. O imperfeito do indicativo.

Forma-se do radical do presente do indicativo com as desinências *-bam, -bas, -bat, -bamus, -batis, -bant* (I e II conj.) ou *-ebam, -ebas, -ebat, -ebamus, -ebatis, -ebant* (II e IV conj.) da seguinte maneira:

| I | II | III.a) | III.b) | IV |
|---|---|---|---|---|
| ama-*bam* | vide-*bam* | leg-*ebam* | capi-*ebam* | audi-*ebam* |
| ama-*bas* | vide-*bas* | leg-*ebas* | capi-*ebas* | audi-*ebas* |
| ama-*bat* | vide-*bat* | leg-*ebat* | capi-*ebat* | audi-*ebat* |
| ama-*bamus* | vide-*bamus* | leg-*ebamus* | capi-*ebamus* | audi-*ebamus* |
| ama-*batis* | vide-*batis* | leg-*ebatis* | capi-*ebatis* | audi-*ebatis* |
| ama-*bant* | vide-*bant* | leg-*ebant* | capi-*ebant* | audi-*ebant* |
| "eu amava", etc. | "eu via", etc. | "eu lia", etc. | "eu prendia", etc. | "eu ouvia", etc. |

O imperfeito do indicativo de *sum* é irregular: *eram, eras, erat, eramus, eratis, erant* ("eu era"), etc.

## EXERCÍCIOS

1. Copiar a tabela dos nomes em *-us*, acrescentando ao lado dos casos a indicação das funções e a tradução portuguesa (imitando a tabela da I declinação, § 18).

2. Declinar: *ocŭlus, hortus, bonus, malus*.

3. Declinar juntos: *servus bonus*; *domĭnus et puella*.

4. Conjugar no imperf. do ind.: *habĕo, do, verbĕro, traho, esurĭo*.

5. Passar as formas seguintes para o imperf. do ind.: *audimus, rident, amas, accipĭtis, est, lego*.

6. Traduzir por escrito:

   Os escravos e as escravas estimam os senhores bons.

   Os senhores e a senhora castigavam os maus escravos.

   As pereiras do jardim eram altas.

## XII — DE SCHOLĀ ORBILĬI PUPILLI

Scholam Orbilĭi Pupilli multi discipŭli frequentabant. Sextus, Aulus et Lucĭus discipŭli Orbilĭi erant. Orbilĭus quotidĭe docebat puĕros. Magister vir severus erat. Saepe puĕris dicebat:

— Non scholae, sed vitae discĭmus, puĕri.

Magister discipŭlos malos non diligebat et frequenter eos castigabat. Idĕo puĕri pigri magistrum "Orbilĭum Plagosum" vocabant.

# VOCABULÁRIO

| | |
|---|---|
| *Orbilĭus Pupillus* | Orbílio Pupilo |
| *vir,-i* m. | homem |
| *dico,-is,-ĕre* | dizer |
| *diligo,-is,-ĕre* | amar, gostar de |
| *Sextus,-i* m. | Sexto |
| *Aulus,-i* m. | Aulo |
| *Lucĭus,-ĭi* m. | Lúcio |
| *quotidĭe* (adv.) | diariamente |
| *docĕo,-es,-ere* | ensinar |
| *puer,-i* m. | menino |
| *magister,-tri* m. | professor, mestre |
| *frequenter* (adv.) | frequentemente |
| *eos* (pronome) | os |
| *piger* | preguiçoso |
| *plagosus* | espancador |
| *voco,-as,-are* | chamar |

# GRAMÁTICA

## § 25. Segunda declinação.

### NOMES TERMINADOS EM -*ER*

Modelos: *puer,-i* ("menino") e *magister,-tri* ("professor", "mestre").

Outro grupo de nomes pertencentes à II declinação é formado pelos que terminam em *-er* no nominativo e em *-i* no genitivo singular. Uns, como *puer*, conservam em todos os casos o *e* do nom. e do voc.; outros, como *magister*, perdem-no.

| CASO* | SINGULAR | PLURAL | CASO** | SINGULAR | PLURAL |
|---|---|---|---|---|---|
| **Nom.** | puer | puĕr-*i* | **Nom.** | magister | magistr-*i* |
| **Voc.** | puer | puĕr-*i* | **Voc.** | magister | magistr-*i* |
| **Ac.** | puĕr-*um* | puĕr-*os* | **Ac.** | magistr-*um* | magistr-*os* |
| **Gen.** | puĕr-*i* | puer-*orum* | **Gen.** | magistr-*i* | magistr-*orum* |
| **Dat.** | puĕr-*o* | puĕr-*is* | **Dat.** | magistr-*o* | magistr-*is* |
| **Abl.** | puĕr-*o* | puĕr-*is* | **Abl.** | magistr-*o* | magistr-*is* |

*Assim se declinam: *gener*, "genro"; *socer*, "sogro"; os adjetivos *liber*, "livre"; *miser*, "miserável", etc.

**Assim se declinam: *liber*, "livro"; *ager*, "campo"; os adjetivos *pulcher*, "bonito"; *piger*, "preguiçoso", etc.

Os substantivos terminados em *-er* da II declinação são masculinos.

## § 26. Declinação de *vir, -i* ("homem").

O único substantivo terminado em *-ir*, *vir* faz também parte da II declinação.

| CASO | SINGULAR | PLURAL |
|---|---|---|
| **Nom.** | vir | vir-*i* |
| **Voc.** | vir | vir-*i* |
| **Ac.** | vir-*um* | vir-*os* |
| **Gen.** | vir-*i* | vir-*orum* |
| **Dat.** | vir-*o* | vir-*is* |
| **Abl.** | vir-*o* | vir-*is* |

# EXERCÍCIOS

1. Copiar no caderno as tabelas dos §§ 25 e 26, marcando ao lado dos casos as funções e a tradução (segundo a tabela do § 18).

2. Declinar: *socer, ager; pulcher, miser.*

3. Declinar juntos: *magister et discipulus; puer et puella; servus miser.*

4. Conjugar no pres. e no imperf. do ind.: *docĕo, voco.*

5. Passar a leitura para o presente.

6. Traduzir:

   Os alunos preguiçosos não liam os livros.

   Os agricultores lavravam os campos.

   Lúcio dava diariamente um livro ao genro.

   Os escravos não eram livres.

# XIII — VERBA VOLANT, SCRIPTA MANENT

Quintus Horatĭus Flaccus scholam Orbilĭi frequentat. Puer parvus praecepta magistri observat, semper diligenter discit. Quintus collegis exemplo est[1]. Magister bono discipŭlo librum dono dat[2]. Flaccus olim magnus poëta erit.

Orbilĭus saepe pulchra proverbĭa dictat discipŭlis. Puĕri proverbĭa describunt, quia "verba volant, scripta manent". Ecce primum proverbĭum:

"Avarum irritat, non satĭat pecunĭa".

---

1   *exemplo est*: "serve de exemplo".
2   *dono dat*: "dá de presente".

## VOCABULÁRIO

| | |
|---|---|
| *verbum,-i* n. | palavra |
| *scriptum,-i* n. | o escrito |
| *maněo,-es,-ere* | ficar |
| *Quintus Horatius Flaccus* | Quinto Horácio Flaco |
| *parvus* | pequeno |
| *praeceptum,-i* | preceito, recomendação |
| *observo,-as,-are* | observar, cumprir |
| *collega,-ae* m. | colega |
| *exemplum,-i* n. | exemplo |
| *donum,-i* n. | presente, dom |
| *olim* (adv.) | um dia |
| *magnus* | grande |
| *erit* | será |
| *proverbĭum,-ĭi* n. | provérbio |
| *avarus,-i* m. | avarento |
| *irrito,-as,-are* | irritar, excitar |
| *satĭo,-as,-are* | saciar |

## GRAMÁTICA

### § 27. Segunda declinação.

**NOMES TERMINADOS EM -*UM***

Além do masculino e do feminino, existe em latim um terceiro gênero gramatical, o neutro, a que pertencem, por exemplo, os nomes terminados em -*um*.

Os nomes com nominativo singular em -*um* e genitivo singular em -*i* fazem ainda parte da II declinação.

| CASO | SINGULAR | PLURAL |
|---|---|---|
| Nom. | verb-*um* | verb-*a* |
| Voc. | verb-*um* | verb-*a* |
| Ac. | verb-*um* | verb-*a* |
| Gen. | verb-*i* | verb-*orum* |
| Dat. | verb-*o* | verb-*is* |
| Abl. | verb-*o* | verb-*is* |

Assim se declinam: *exemplum, donum, proverbĭum, colloquĭum*; os adjetivos *pulchrum, bonum*, etc.

## § 28. Declinação dos neutros.

Todos os nomes neutros (não somente os da II, como também os da III e da IV declinação) têm três casos iguais; o nominativo, o vocativo e o acusativo. Estes três casos, no plural, terminam sempre em -*a*.

## EXERCÍCIOS

1. Declinar juntos: *proverbĭum pulchrum*.
2. Declinar juntos: *schola, liber et praeceptum*.
3. Copiar a tabela no caderno, completando-a conforme o § 18.
4. Quais são os nomes masculinos da II declinação? Quais os femininos? Quais os neutros? Há palavras neutras na I declinação? E masculinas?
5. Quais são os nomes cujo vocativo difere do nominativo? Quais os nomes da II declinação que têm o nom. e o ac. iguais?
6. Passar a leitura para o imperfeito.

## XIV — PUĔRI IN HORTO RUFI

Puĕri cum magistro hortum Rufi visĭtant. Quam pulcher est hortus! Ubique rosae rubrae redŏlent, narcissi flavi rident, lilĭa alba ocŭlos delectant. Puĕri laeti saltant, cantant, pilā ludunt, currunt, statŭam dei hortorum coronis ornant.

## VOCABULÁRIO

| | |
|---|---|
| *hortus,-i* m. | jardim |
| *cum* (prep. de abl.) | com |
| *visĭto,-as,-are* | visitar |

| | |
|---|---|
| *quam!* (exclam.) | quão! |
| *ubique* (adv.) | por toda parte |
| *ruber,-bra,-brum* | vermelho |
| *redolĕo,-es,-ere* | cheirar |
| *narcissus,-i* | narciso |
| *flavus,-a,-um* | amarelo |
| *lilĭum,-ĭi* n. | lírio |
| *albus,-a,-um* | branco, alvo |
| *laetus,-a,-um* | alegre |
| *ludo,-is,-ĕre* | brincar |
| *curro,-is,-ĕre* | correr |
| *statŭa,-ae* f. | estátua |
| *deus,-i* m. | deus |
| *corona,-ae* f. | coroa |

## GRAMÁTICA

§ 29. A primeira classe de adjetivos.

Em nossas leituras encontramos até aqui adjetivos femininos com o nominativo em *-a*, masculinos com o nominativo em *-us*, em *-er* e em *-ir*, neutros com o nominativo em *-um*. Vimos o mesmo adjetivo com três terminações diferentes: *bonus, bona, bonum*.

Em latim, como em português, o adjetivo concorda com o substantivo em gênero; pois, havendo em latim três gêneros, o adjetivo possui, além de formas masculinas e femininas, formas neutras também.

A primeira classe de adjetivos é formada por aqueles cujo nominativo singular acaba em *-us* ou *-er* no masculino, *-a* no feminino e *-um* no neutro.

Modelos: *bonus,-a,-um* ("bom"); *piger,-gra,-grum* ("preguiçoso")

| CASO | MASC. | FEM. | NEUTRO | MASC. | FEM. | NEUTRO |
|------|-------|------|--------|-------|------|--------|
| | | Singular | | | Singular | |
| Nom. | bon-*us* | bon-*a* | bon-*um* | piger | pigr-*a* | pigr-*um* |
| Voc. | bon-*e* | bon-*a* | bon-*um* | piger | pigr-*a* | pigr-*um* |
| Ac. | bon-*um* | bon-*am* | bon-*um* | pigr-*um* | pigr-*am* | pigr-*um* |
| Gen. | bon-*i* | bon-*ae* | bon-*i* | pigr-*i* | pigr-*ae* | pigr-*i* |
| Dat. | bon-*o* | bon-*ae* | bon-*o* | pigr-*o* | pigr-*ae* | pigr-*o* |
| Abl. | bon-*o* | bon-*ā* | bon-*o* | pigr-*o* | pigr-*ā* | pigr-*o* |
| | | Plural | | | Plural | |
| Nom. | bon-*i* | bon-*ae* | bon-*a* | pigr-*i* | pigr-*ae* | pigr-*a* |
| Voc. | bon-*i* | bon-*ae* | bon-*a* | pigr-*i* | pigr-*ae* | pigr-*a* |
| Ac. | bon-*os* | bon-*as* | bon-*a* | pigr-*os* | pigr-*as* | pigr-*a* |
| Gen. | bon-*orum* | bon-*arum* | bon-*orum* | pigr-*orum* | pigr-*arum* | pigr-*orum* |
| Dat. | bon-*is* | bon-*is* | bon-*is* | pigr-*is* | pigr-*is* | pigr-*is* |
| Abl. | bon-*is* | bon-*is* | bon-*is* | pigr-*is* | pigr-*is* | pigr-*is* |

## § 30. Concordância do adjetivo com o substantivo.

O adjetivo concorda com o substantivo ao qual se refere, não somente em número e gênero, como também em caso. Assim: *rosa pulchra*, "a rosa bonita"; *rosarum pulchrarum*, "das rosas bonitas", etc.

CUIDADO! Concordância não significa necessariamente terminação idêntica. Assim os substantivos masculinos da I declinação, como *poëta* (v. § 20), são acompanhados de adjetivo terminado em *-us* ou *-er*: *poëta bonus et pulcher*; os substantivos femininos da II declinação, como *pirus* (v. § 23), são acompanhados de adjetivo terminado em *-a*: *pirus pulchra*.

## EXERCÍCIOS

1. Declinar: *hortus laetus; narcissus flavus; lilĭum album*.
2. Declinar: *ulmus parva; agricŏla sedŭlus; puer curiosus*.
3. Declinar: *magister vir severus*.
4. Passar a leitura para o imperfeito.
5. Conjugar *visĭto* e *redolĕo* no pres. do ind. e do imperativo, e no imperf. do indicativo.
6. Traduzir por escrito:

   Meninos, lede os livros dos bons poetas!

   A escrava rega a grande pereira do jardim.

   As plantas bonitas do campo deleitam os lavradores alegres.

# XV PUĔRI IN FORO

— Si sedŭli erĭtis[1], pŭeri, — ait Orbilĭus — cras Forum visitabĭmus. Ibi templa pulchra magnorum deorum videbĭtis. Curĭam, ubi patres considunt, etĭam ostendam vobis. In foro causidĭcos audietis.

Nunc sententĭam hodiernam vobis dictabo:

"Hodĭe mihi, cras tibi."

Aule, cras recitabis sententĭam; tu autem, Sexte, explicabis.

---

1  *erĭtis:* traduzir pelo futuro do subjuntivo.

# VOCABULÁRIO

| | |
|---|---|
| *si* (conj.) | se |
| *Forum,-i* n. | o Foro |
| *aio, ais* (v. defectivo) | dizer |
| *cras* (adv.) | amanhã |
| *ibi* (adv.) | aí |
| *templum,-i* n. | templo |
| *Curĭa,-ae* f. | Cúria |
| *ubi* (conj.) | onde |
| *patres* | (os) senadores |
| *consido,-is, -ĕre* | reunir-se |
| *etĭam* (conj.) | também |
| *ostendo,-is,-ĕre* | mostrar |
| *vobis* (pron.) | a vós, para vós |
| *causidĭcus,-i* m. | advogado |
| *nunc* (adv.) | agora |
| *hodiernus,-a,-um* | de hoje |
| *tibi* (pron.) | te, a ti |
| *tu* (pron.) | tu |
| *autem* (conj.) | por outro lado, por tua vez |
| *explĭco,-as,-are* | explicar |

# GRAMÁTICA

## § 31. O futuro do indicativo.

Forma-se do radical do presente do indicativo, acrescentando as terminações *-bo, -bis, -bit, -bĭmus, -bĭtis, -bunt* na I e na II conjugações, *-am, -es, -et, -emus, -etis, -ent* na III e na IV conjugações, da seguinte maneira:

| I. | II. | III.a) | III.b) | IV. |
|---|---|---|---|---|
| ama-*bo* | vide-*bo* | leg-*am* | capĭ-*am* | audĭ-*am* |
| ama-*bis* | vide-*bis* | leg-*es* | capĭ-*es* | audĭ-*es* |
| ama-*bit* | vide-*bit* | leg-*et* | capĭ-*et* | audĭ-*et* |
| ama-*bĭmus* | vide-*bĭmus* | leg-*emus* | capi-*emus* | audi-*emus* |
| ama-*bĭtis* | vide-*bĭtis* | leg-*etis* | capi-*etis* | audi-*etis* |
| ama-*bunt* | vide-*bunt* | leg-*ent* | capĭ-*ent* | audĭ-*ent* |
| "eu amarei", etc. | "eu verei", etc. | "eu lerei", etc. | "eu prenderei", etc. | "eu ouvirei", etc. |

O futuro do indicativo de *sum* é o seguinte:
*ero, eris, erit, erĭmus, erĭtis, erunt* "eu serei", etc.

# EXERCÍCIOS

1. Formar o futuro do indicativo de *visĭto, ostendo, vidĕo, esurĭo*.

2. Dizer em latim: eu mostro, mostrava, mostrarei; tu mostras, mostravas, mostrarás (e assim por diante em todas as pessoas).

3. Dizer em latim: brincará, brincarão, ditarei, ditaremos; jogarás, jogarão.

4. Transpor para o futuro a leitura XIV.

5. Transpor para o presente a leitura XV.

6. Traduzir:

Os escravos dos bons senhores não passarão fome.

Leremos com o professor a história dos grandes romanos.

Amanhã jogarás bola com Aulo.

## XVI — DE SALUTE ET MORBO

Lucĭus, filĭus Rufi et Lucretĭae, aegrotat. Morbus filĭi matrem valde movet. Pater medĭcum vocat. Medĭcus aegro remedĭum adhĭbet et dicit:

— Macte, Luci! Si remedĭum sumes, cras valebis.

Pater quoque confirmat filĭum.

— Nihil est, mi fili! — ait Rufus. — "Dolor anĭmi gravĭor est quam corpŏris dolor."

Verba patris valde confirmant Lucĭum.

# VOCABULÁRIO

| | |
|---|---|
| *salus,-utis* f. | saúde |
| *morbus,-i* m. | doença |
| *filĭus,-i* m. | filho |
| *aegroto,-as,-are* | estar doente |
| *mater,-tris* f. | mãe |
| *movĕo,-es,-ere* | comover, preocupar |
| *pater,-tris* m. | pai |
| *medĭcus,-i* m. | médico |
| *aeger,-gra,-grum* | doente |
| *remedĭum,-ĭi* n. | remédio |
| *adhibĕo,-es,-ere* | aplicar |
| *sumo,-is,-ĕre* | tomar |
| *valĕo,-es,-ere* | valer, estar bom |
| *nihil* | nada |
| *confirmo,-as,-are* | encorajar, animar |
| *meus,-a,-um* | meu, minha |
| *dolor,-is* m. | dor |
| *animus,-i* m. | espírito |

*gravĭor* ........................................... mais grave

*quam* (conj.) .................................... do que

*corpus,-ŏris* n. ................................. corpo

*macte!* (interjeição) ......................... coragem!

# GRAMÁTICA

## § 32. Vocativo irregular.

Os nomes próprios terminados em *-ĭus*, como *Lucĭus*, *Orbilĭus*, têm o vocativo singular em *-i*: *Luci*, *Orbili*. O mesmo se dá com o nome comum *filĭus*, cujo vocativo é *fili*.

Notemos ainda os vocativos de *deus* e de *vir*, iguais ao nominativo: *deus* e *vir*; e o do adjetivo possessivo *meus*, que é: *mi*.

## § 33. Terceira declinação.

Os nomes da III declinação caracterizam-se pela terminação *-is* no genitivo singular. No nominativo são várias as terminações.

Os substantivos que pertencem à III declinação podem ser divididos em dois grupos, a que chamaremos grupos A e B. Cada um deles abrange substantivos masculinos, femininos e neutros. Eis o GRUPO A:

*dolor, doloris* m. ("dor")

*verĭtas, veritatis* f. ("verdade")

*corpus, corpŏris* n. ("corpo")

| CASO | SING. | PLUR. | SING. | PLUR. | SING. | PLUR. |
|---|---|---|---|---|---|---|
| Nom. | dolor | dolor-es | verĭtas | veritat-es | corpus | corpŏr-a |
| Voc. | dolor | dolor-es | verĭtas | veritat-es | corpus | corpor-a |
| Ac. | dolor-em | dolor-es | veritat-em | veritat-es | corpus | corpŏr-a |
| Gen. | dolor-is | dolor-um | veritat-is | veritat-um | corpŏr-is | corpor-um |
| Dat. | dolor-i | dolor-ĭbus | veritat-i | veritat-ĭbus | corpŏr-i | corpor-ĭbus |
| Abl. | dolor-e | dolor-ĭbus | veritat-e | veritat-ĭbus | corpŏr-e | corpor-ĭbus |

Outros nomes masculinos: *pater, patris; frater,-tris* ("irmão"); *pastor,-oris* ("pastor"); *vestĭfex, -fĭcis* ("alfaiate");

femininos: *mater, matris; salus, salutis; aetas, -atis* ("idade");

neutros: *vulnus,-ĕris* ("ferida"); *tempus,-ŏris* ("tempo"); *cor, cordis* ("coração").

Devendo-se declinar uma palavra masc. ou fem. deste grupo, p. ex. *pater, patris*, procede-se da seguinte maneira: o nominativo singular indica ao mesmo tempo o vocativo *pater*. Todos os outros casos formam-se com o auxílio do genitivo singular. Retira-se deste último a terminação *-is*; o que fica é o tema. A este acrescentam-se as terminações dos outros casos. Assim: ac. *patr-em*; dat. *patr-i*; abl. *patr-e*; no plural, nom., voc. e ac. *patr-es*; gen. *patr-um*; dat. e abl. *patr-ĭbus*.

Devendo-se declinar uma palavra neutra, como p. ex. *tempus, temporis*, o nominativo singular indicará ao mesmo tempo o vocativo e o acusativo singular (v. § 28): *tempus*. Para o restante, procede-se como no caso de *pater*, servindo-se do genitivo singular *tempŏr-is*; assim: dat. *tempŏr-i*, abl. *tempŏr-e*; no plural, nom., voc. e ac. *tempŏr-a*; gen. *tempŏr-um*; dat. e abl. *tempor-ĭbus*.

# EXERCÍCIOS

1. Declinar: *pastor bonus, mater bona, vulnus magnum.*

2. Declinar: *pater et filĭus; mater et magistra; animus et corpus; frater et magister.*

3. Conjugar nos tempos já estudados: *aegroto, movĕo, sumo.*

4. Transpor o primeiro parágrafo da leitura para o imperfeito.

5. Procurar na leitura seis adjuntos restritivos.

6. Traduzir por escrito:

    Os bons filhos (*liberi,-orum*) obedecem aos pais (*parentes, ĭum*).

    As doenças dos filhos preocupam as mães.

    O doente tinha grandes dores.

# XVII DE ARTĬBUS

In urbe Romā multas artes invenīmus.

Pistor panem facit, vestīfex vestes, sutor calcĕos.

Magistri docent puĕros, medĭci aegros curant, nautae maria percurrunt, milĭtes pugnant.

"Navĭta de ventis, de tauris narrat arator.

Enumĕrat miles vulnĕra, pastor oves."

# VOCABULÁRIO

| | |
|---|---|
| *ars, artis* f. | profissão |
| *urbs, urbis* f. | cidade |
| *Roma,-ae* f. | Roma |
| *invenĭo,-is,-ire* | encontrar |
| *pistor,-oris* m. | padeiro |
| *panis, panis* m. | pão |
| *vestĭfex,-fĭcis* m. | alfaiate |
| *vestis,-is* f. | veste, roupa |
| *sutor,-oris* m. | sapateiro |
| *calcĕus,-i* m. | calçado |
| *curo,-as,-are* | cuidar de |
| *percurro,-is,-ĕre* | percorrer |
| *mare,-is* n. | mar |
| *miles,-ĭtis* m. | soldado |
| *pugno,-as,-are* | combater |
| *navĭta,-ae,-are* | marinheiro |
| *ventus,-i* m. | vento |
| *taurus,-i* m. | touro |
| *arator,-oris* m. | lavrador |
| *enumĕro,-as,-are* | enumerar |
| *pastor,-oris* m. | pastor |
| *ovis, ovis* f. | ovelha |

# GRAMÁTICA

## § 34. Terceira declinação.

**GRUPO B:**

Os nomes deste grupo têm as terminações do grupo A, exceto no genitivo plural, que termina em *-ĭum*, e, nas palavras neutras, no ablativo singular, que termina em *-ī*, e no nominativo, vocativo e acusativo plural, terminados em *-ĭa*.

Fazem parte do grupo B:

1) os substantivos parissílabos (isto é, que têm o mesmo número de sílabas no nominativo e no genitivo singular), terminados no nominativo singular em *-es* ou *-is* como p. ex. *civis, civis* m. ("cidadão"); *nubes, nubis* f. ("nuvem").

2) os substantivos imparissílabos (isto é, que têm número diferente de sílabas no nominativo e no genitivo singular), nos quais a terminação *-is* do genitivo singular é precedida por mais de uma consoante, como p. ex. *ars, artis* f. ("arte"); *nox, noctis* f. ("noite").

3) os substantivos neutros cujo nominativo singular termina em *-e*, *-al* ou *-ar*, como p. ex. *mare, maris* ("mar"); *anĭmal, animalis* ("animal"); *exemplar, exemplaris* ("exemplar").

4) a maioria dos adjetivos da segunda classe, dos quais falaremos mais adiante.

**MODELOS:**

*civis, civis* m.          *ars, artis* f.          *mare, maris* n.
("cidadão")          ("profissão", "arte")          ("mar")

| CASOS | SING. | PLUR. | SING. | PLUR. | SING. | PLUR. |
|---|---|---|---|---|---|---|
| Nom. | civ-*is* | civ-*es* | ars | art-*es* | mar-*e* | mar-*ĭa* |
| Voc. | civ-*is* | civ-*es* | ars | art-*es* | mar-*e* | mar-*ĭa* |
| Ac. | civ-*em* | civ-*es* | art-*em* | art-*es* | mar-*e* | mar-*ĭa* |
| Gen. | civ-*is* | civ-*ĭum* | art-*is* | art-*ĭum* | mar-*is* | mar-*ĭum* |
| Dat. | civ-*i* | civ-*ĭbus* | art-*i* | art-*ĭbus* | mar-*i* | mar-*ĭbus* |
| Abl. | civ-*e* | civ-*ĭbus* | art-*e* | art-*ĭbus* | mar-*i* | mar-*ĭbus* |

# EXERCÍCIOS

1. Nas palavras seguintes: *miles, urbs, vestĭfex, vestis, salus, anĭmal,* o genitivo plural termina em *-um* ou em *-ĭum*?

2. Declinar: *civis Romanus*; *ars pulchra*; *mare magnum*.

3. Declinar: *vestĭfex et vestis*; *sutor et calcĕus*; *terra et mare*.

4. Transpor a leitura para o imperfeito.

5. Redigir frases breves cujos sujeitos sejam: o professor, a mãe, os alfaiates, o soldado, os marinheiros, as alunas, o aluno.

6. Traduzir para o latim:

   Muitos animais habitam no mar.

   O alfaiate fará uma veste bonita para mim.

   Os marinheiros não tinham bom vento.

# XVIII DE LUDIS CIRCENSĬBUS

Vetus popŭlus Romae semper "panem et circenses" poscebat. Aediles popŭlo saepe ludos faciebant. Popŭlum crudelem atroces pugnae gladiatorum in circo vehementer delectabant.

Acres viri, cum in arenam descendebant, Caesărem sic salutabant:

"Ave, Caesar, morituri te salutant." Spectatores de morte victorum pollĭce verso decernebant.

# VOCABULÁRIO

| | |
|---|---|
| *ludus,-i* m. | jogo |
| *aedilis,-is* m. | edil (funcionário romano) |
| *circus,-i* m. | circo |
| *circensis,-e* | do circo |
| *circenses,-ĭum* m. pl. | os jogos circenses |
| *crudelis,-e* | cruel |
| *atrox* (gen. *atrocis*) | atroz, terrível |
| *vetus* (gen. *vetĕris*) | antigo |
| *pugna,-ae* f | combate |
| *popŭlus,-i* | povo |
| *gladiator,-oris* m | gladiador |
| *posco,-is,-ĕre* | exigir |
| *acer, acris, acre* | violento, cruel |
| *arena,-ae* f. | arena, recinto |
| *cum* (conj.) | quando |
| *Caesar, ăris* m. | imperador |
| *sic* (adv.) | assim |
| *descendo,-is,-ĕre* | descer |
| *ave!* (interj.) | salve! |
| *moriturus,-a,-um* | aquele que vai morrer |
| *spectator,-oris* m. | espectador |
| *mors,-tis* f. | morte |
| *victus,-a,-um* | vencido |

*pollex,-ĭcis* m. — polegar
*versus,-a,-um* — virado
*decerno,-is,-ĕre* — decidir

## GRAMÁTICA

### § 35. A segunda classe de adjetivos.

A segunda classe de adjetivos (da primeira falou-se no § 29) é formada pelos adjetivos da III declinação. A maior parte deles segue a declinação do grupo B de substantivos, sendo que no abl. sing. têm *-i* em vez de *-e*. No nom. sing. alguns têm três formas diferentes para os três gêneros; outros, uma forma para o masculino e o feminino, e outra para o neutro; outros, afinal, uma única forma para os três gêneros. Damos aqui um modelo de cada um destes tipos:

*acer, acris, acre*          *fortis, forte*          *atrox*
("violento")                 ("forte")                ("atroz")

| | CASOS | MASC. | FEM. | NEUTRO |
|---|---|---|---|---|
| SINGULAR | Nom. | ac-*er* | acr-*is* | acr-*e* |
| | Voc. | ac-*er* | acr-*is* | acr-*e* |
| | Ac. | acr-*em* | acr-*em* | acr-*e* |
| | Gen. | acr-*is* | acr-*is* | acr-*is* |
| | Dat. | acr-*i* | acr-*i* | acr-*i* |
| | Abl. | acr-*i* | acr-*i* | acr-*i* |
| PLURAL | Nom. | acr-*es* | acr-*es* | acr-*ĭa* |
| | Voc. | acr-*es* | acr-*es* | acr-*ĭa* |
| | Ac. | acr-*es* | acr-*es* | acr-*ĭa* |
| | Gen. | acr-*ĭum* | acr-*ĭum* | acr-*ĭum* |
| | Dat. | acr-*ĭbus* | acr-*ĭbus* | acr-*ĭbus* |
| | Abl. | acr-*ĭbus* | acr-*ĭbus* | acr-*ĭbus* |

|  | CASOS | MASC.-FEM. | NEUTRO | MASC. FEM. NEUTRO |
|---|---|---|---|---|
| SINGULAR | Nom. | fort-*is* | fort-*e* | atrox |
| | Voc. | fort-*is* | fort-*e* | atrox |
| | Ac. | fort-*em* | fort-*e* | atroc-*em* atrox |
| | Gen. | fort-*is* | fort-*is* | atroc-*is* |
| | Dat. | fort-*i* | fort-*i* | atroc-*i* |
| | Abl. | fort-*i* | fort-*i* | atroc-*i* |
| PLURAL | Nom. | fort-*es* | fort-*ĭa* | atroc-*es* atroc-*ĭa* |
| | Voc. | fort-*es* | fort-*ĭa* | atroc-*es* atroc-*ĭa* |
| | Ac. | fort-*es* | fort-*ĭa* | atroc-*es* atroc-*ĭa* |
| | Gen. | fort-*ĭum* | fort-*ĭum* | atroc-*ĭum* |
| | Dat. | fort-*ĭbus* | fort-*ĭbus* | atroc-*ĭbus* |
| | Abl. | fort-*ĭbus* | fort-*ĭbus* | atroc-*ĭbus* |

Declinam-se como *acer*: *celĕber, celĕbris, celĕbre* ("célebre"); *celer, celĕris, celĕre* ("veloz"), etc.

como *fortis*: *omnis, omne* ("todo"); *crudelis, crudele* ("cruel"), etc.

como *atrox*: *audax, audacis* ("audacioso"); *felix, felicis* ("feliz"); *prudens, prudentis* ("prudente"), etc.

Menos numerosos são os adjetivos que seguem a declinação do grupo A de substantivos. Modelo:

*vetus* ("antigo")

|  | CASOS | MASC.-FEM. NEUTRO |
|---|---|---|
| SINGULAR | Nom. | vetus |
| | Voc. | vetus |
| | Ac. | vetĕr-*em* vetus |
| | Gen. | vetĕr-*is* |
| | Dat. | vetĕr-*i* |
| | Abl. | vetĕr-*e* |

|  | | |
|---|---|---|
| PLURAL | Nom. | vetĕr-*es* vetĕr-*a* |
|  | Voc. | vetĕr-*es* vetĕr-*a* |
|  | Ac. | vetĕr-*es* vetĕr-*a* |
|  | Gen. | vetĕr-*um* |
|  | Dat. | veter-*ĭbus* |
|  | Abl. | veter-*ĭbus* |

Declinam-se como *vetus*: *pauper, paupĕris* ("pobre"); *locuples, locupletis* ("rico"), etc.

## EXERCÍCIOS

1. Declinar: *leo acer, bestĭa acris, anĭmal acre.*
2. Declinar: *popŭlus crudelis, bellum crudele.*
3. Declinar: *pugna atrox, bellum atrox.*
4. Declinar: *gladiator Romanus fortis; vetus pugna atrox.*
5. Passar a leitura para o presente.
6. Traduzir por escrito:

    Os homens bons não amavam os jogos cruéis do circo.

    Os médicos curavam as feridas dos gladiadores violentos.

    Os jogos de Roma eram célebres.

# XIX DE AETATE AURĔĀ

Prima erat in terris aetas aurĕa. Tum homĭnes rectum sine legĭbus colebant, bella, exercĭtus, enses, cornŭa ignorabant, sine milĭtum usu vivebant. Poena metusque[1] abĕrant[2]. Ver aeternum erat.

---

1 A conjunção -*que* está sempre grudada à palavra que ela liga a outra. P. ex.: *poena metusque*, "o castigo e o medo".

2 O verbo *absum* conjuga-se como *sum*, de que é um dos compostos.

# VOCABULÁRIO

| | |
|---|---|
| *primus,-a,-um* | primeiro |
| *aetas,-atis* f. | idade |
| *aurĕus,-a,-um* | áureo, de ouro |
| *tum* (adv.) | então |
| *homo, homĭnis* m. | homem |
| *rectum,-i* n. | o bem, o direito |
| *sine* (prep. de abl.) | sem |
| *lex, legis* f. | lei |
| *colo,-is,-ĕre* | cultivar, praticar |
| *bellum,-i* n. | guerra |
| *exercĭtus,-us* m. | exército |
| *ensis,-is* m. | espada |
| *cornu,-us* n. | chifre, corneta |
| *ignoro,-as,-are* | ignorar |
| *usus,-us* m. | uso, experiência |
| *poena,-ae* f. | castigo |
| *metus,-us* m. | medo |
| *absum, abes, abesse* | estar ausente |
| *-que* (conj.) | e |
| *ver,-is* n. | primavera |
| *aeternus,-a,-um* | eterno |

# GRAMÁTICA

## § 36. Quarta declinação.

Os substantivos da IV declinação caracterizam-se pela terminação *-us* do genitivo singular. O nominativo termina em *-us* ou em *-u*.

Quase todos os substantivos terminados em *-us* desta declinação são masculinos, como p. ex. *exercĭtus, usus, metus*; são poucos os femininos, como *manus*. Os substantivos terminados em *-u* são neutros, como *genu* ou *cornu*. Modelos:

cantus, cantus m. ("canto")        genu, genus n. ("joelho")

| CASO | SINGULAR | PLURAL | SINGULAR | PLURAL |
|---|---|---|---|---|
| Nom. | cant-*us* | cant-*us* | gen-*u* | gen-*ŭa* |
| Voc. | cant-*us* | cant-*us* | gen-*u* | gen-*ŭa* |
| Ac. | cant-*um* | cant-*us* | gen-*u* | gen-*ŭa* |
| Gen. | cant-*us* | cant-*ŭum* | gen-*us* | gen-*ŭum* |
| Dat. | cant-*ŭi* | cant-*ĭbus* | gen-*ŭi* | gen-*ĭbus* |
| Abl. | cant-*u* | cant-*ĭbus* | gen-*u* | gen-*ĭbus* |

À IV declinação não pertencem adjetivos.

**N.B.** Não confundir a declinação de palavras como *domĭnus,-i*, *corpus,-ŏris* e *cantus,-us*. O genitivo singular esclarece-nos sempre a respeito da declinação conveniente. (Ver § 19.)

# EXERCÍCIOS

1. Declinar: *metus atrox, manus parva, cornu forte.*
2. Declinar: *aetas aurĕa, aeternum ver, poena metusque.*

3. A quantos casos corresponde esta forma: *cantus*? E esta: *cornu*?

4. Dizer se *exercĭtus magni et fortes* está no gen. sing. ou no nom. plur.; e se *magno cornu* está no dat. ou no abl. sing.

5. Dizer em latim: Estou ausente. Estavam ausentes. Estarás ausente.

   (**N.B.** *absum* conjuga-se como *sum*.)

6. Traduzir:

   Os homens da idade áurea viviam sem medo das leis e dos exércitos.

   Muitos gladiadores combatiam sem usar espadas (verter como se fosse "sem o uso de espadas").

# XX  IN SCHOLĀ ORBILĬI PUPILLI

*Magister:* — Heri de aetate aurĕā lēgĭmus. Nunc rem novam docebo. Quotidĭe discĭtis alĭquid; ut ille Apelles dicebat: "Nulla dies sine linĕā." Describĭte ergo sententĭam poëtae Publilĭi Syri: "Magister usus omnĭum est rerum optĭmus." Aule, lege et explĭca sententĭam.

*Aulus, qui cum Sexto ludebat, tacet.*

*Magister:* — Cave, Aule! Si ludes in scholā, te castigabo. Optĭme dicit sapĭens: "Caeci sunt ocŭli, si anĭmus altĕras res agit."

# VOCABULÁRIO

| | |
|---|---|
| *heri* (adv.) | ontem |
| *lēgĭmus* | lemos (perf.) |
| *res, rei* f. | coisa |
| *novus,-a,-um* | novo |
| *alĭquid* | algo |
| *ut* (conj.) | como |
| *ille* | aquele famoso |
| *Apelles,-is* m. | Apeles (grande pintor) |
| *nullus,-a,-um* | nenhum |
| *dies, diei* f. ou m. | dia |
| *linĕa,-ae* f. | linha |
| *ergo* (conj.) | portanto |
| *Publilĭus Syrus* m. | Publílio Siro |
| *omnis,-e* | todo |
| *optĭmus,-a,-um* | o melhor |
| *qui* (pron.) | que |
| *usus,-us* m. | experiência |
| *cavĕo,-es,-ere* | tomar cuidado |
| *optĭme* (adv.) | muito bem |
| *sapĭens,-entis* m. | sábio |
| *caecus,-a,-um* | cego |
| *alter,-ĕra,-ĕrum* | outro |
| *ago,-is,-ĕre* | fazer |

IN SCHOLĀ ORBILĬI PUPILLI ♦ 89

# GRAMÁTICA

## § 37. Quinta declinação.

À V declinação pertencem substantivos cujo nominativo singular termina em *-es* e genitivo singular em *-ei*. Todos são femininos; única exceção é *dies*, que pode ser feminino ou masculino. Modelo: *res, rei* f. "coisa".

| CASO | SINGULAR | PLURAL |
|---|---|---|
| **Nom.** | r-*es* | r-*es* |
| **Voc.** | r-*es* | r-*es* |
| **Ac.** | r-*em* | r-*es* |
| **Gen.** | r-*ei* | r-*erum* |
| **Dat.** | r-*ei* | r-*ebus* |
| **Abl.** | r-*e* | r-*ebus* |

Declinam-se como *res*: *dies, diĕi*, f. ou m., "dia"; *spes, spĕi*, f. "esperança"; *fides,-ĕi*, f. "fé"; *specĭes,-ĕi* f. "espécie".

**N.B.** De todos os substantivos que pertencem à V declinação, apenas *res* e *dies* são usados no plural.

## § 38. Palavras variáveis e invariáveis.

Uma parte das palavras latinas encontradas em nossas leituras eram variáveis, outras, não. Entre as variáveis, umas se conjugavam: são os VERBOS; outras se declinavam: são os SUBSTANTIVOS, ADJETIVOS e PRONOMES. As invariáveis podem também ser divididas, por sua vez, em quatro grupos: ADVÉRBIOS (*hodĭe, cras, ibi, nunc*, etc.), PREPOSIÇÕES (*in, sine, cum, inter*, etc.), CONJUNÇÕES (*et, sed, cum,* etc.) e INTERJEIÇÕES (*vae, macte*, etc.). Toda palavra latina pode ser incluída numas dessas oito classes.

## EXERCÍCIOS

1. Declinar: *bona dies*; *usus magister optĭmus*; *res crudelis et magna*.
2. Conjugar o verbo *cavĕo* em todos os tempos já estudados.
3. Analisar por escrito a sentença: *Magister usus omnĭum rerum est optĭmus*.
4. Fazer a lista:

   a) dos substantivos;

   b) dos adjetivos;

   c) dos pronomes da leitura.
5. Procurar na leitura as palavras invariáveis e dividi-las em classes.
6. Traduzir:

   Os dias da idade áurea eram bonitos.

   Explicarei diariamente uma coisa nova.

   A fé forte dá esperança aos homens.

# JOGOS DE VOCABULÁRIO

## 1. VOCABULÁRIO POR ASSUNTOS

Reunamos, entre as palavras e expressões latinas encontradas nas vinte primeiras leituras, as que se referem aos assuntos seguintes:

### A) A ESCOLA

(Dizer em latim: escola, professor, professora, aluno, aluna; livro, tabela; provérbio, sentença, fábula; educar, frequentar, brincar, ler, ditar, descrever.)

### B) O HOMEM

(Corpo, espírito; vida, morte; homem, mãe, pai, filho, filha, menino, menina, mão, olho.)

### C) SENHORES E ESCRAVOS

(Senhor, senhora, escravo, escrava; severo, bom, preguiçoso, diligente; mandar, obedecer, trabalhar, castigar.)

### D) SAÚDE E DOENÇA

(Saúde, doença, corpo, dor, vida, morte, remédio; médico, doente, cego; estar bom, estar doente, curar, administrar um remédio.)

### E) A AGRICULTURA

(Lavrador, pastor; terra, campo, água, floresta, sombra; ao ar livre; cultivar, regar.)

### F) O FORO ROMANO

(Foro, estátua, templo, altar; deus, deusa; senador, advogado; defender uma causa; ornar com coroa.)

### G) O CIRCO

(Circo, luta, jogo, fera, gladiador; edil; cruel, feroz; com o polegar virado; lutar, vencer; entregar às feras.)

### H) NATUREZA, BICHOS E PLANTAS

(Aranha, mosca, rã, água; touro, ovelha, cavalo; planta; rosa, narciso, lírio; pereira, macieira; jardim, floresta.)

### I) A GUERRA

(Guerra, exército, soldado, marinheiro, luta; espada, cometa; lutar, matar, vencer.)

## 2. PROCURA DE QUALIFICATIVOS

Procuremos, entre os adjetivos latinos que agora conhecemos, qualificativos apropriados para cada um dos substantivos seguintes:

Rosa, narcissus, lilĭum; servus, domĭnus, magister, discipŭlus, magistra, discipŭla; ludus, Forum, Orbilĭus Pupillus.

## 3. PROCURA DE PREDICADOS

Procuremos para os sujeitos seguintes outros tantos predicados apropriados:

Vestĭfex —. Pistor —. Sutor —. Medĭcus —. Magister —. Miles —. Aedilis —. Causidĭcus —. Discipŭli sedŭli —. Discipŭlae pigrae —. Domini et domĭnae —; servi et servae —. Verba —, scripta —.

## 4. CLASSIFICAÇÃO DE ADVÉRBIOS

Distribuamos os advérbios seguintes, segundo sua significação num destes três grupos: advérbios de lugar, de tempo e de modo:

Ibi, hodĭe, nunc, vehementer, ubique, valde, cras, quotidĭe, parum, heri, bene.

## 5. SINÔNIMOS

Demos um sinônimo de cada uma destas palavras:

Nauta, sententĭa, arator, atrox, obtemperare.

## 6. ANTÔNIMOS

Demos os antônimos de:

Vita, morbus; malus, parvus, piger, novus; laudare, parere.

## 7. HOMÔNIMOS

Cada uma das seguintes palavras latinas pode ter duas significações diferentes (conforme é considerada forma verbal ou nominal); indiquemos estas duas significações:

Aras, lege, legis, ludis.

## 8. CUIDADO COM AS ARMADILHAS!

Há muitas palavras latinas que se parecem com palavras portuguesas sem que haja entre elas a menor relação. O aluno inteligente saberá que:

| | | | |
|---|---|---|---|
| prima | não significa | "prima", | mas... |
| multa | não significa | "multa", | mas... |
| dono | não significa | "dono", | mas... |
| dei | não significa | "dei", | mas... |
| ocŭlos | não significa | "óculos", | mas... |
| bello | não significa | "belo", | mas... |
| nunc | não significa | "nunca", | mas... |

# QUADRO SINÓPTICO DAS CINCO DECLINAÇÕ[ES]

|  | CASO | I | II | | | III (Grupo A) | |
|---|---|---|---|---|---|---|---|
| SINGULAR | Nom. | ros-a | domĭn-us | puer | verb-um | dolor | verĭtas |
| | Voc. | ros-a | domĭn-e | puer | verb-um | dolor | verĭtas |
| | Ac. | ros-am | domĭn-um | puĕr-um | verb-um | dolor-em | veritat-em |
| | Gen. | ros-ae | domĭn-i | puĕr-i | verb-i | dolor-is | veritat-is |
| | Dat. | ros-ae | domin-o | puĕr-o | verb-o | dolor-i | veritat-i |
| | Abl. | ros-ā | domĭn-o | puĕr-o | verb-o | dolor-e | veritat-e |
| PLURAL | Nom. | ros-ae | domĭn-i | puĕr-i | verb-a | dolor-es | veritat-es |
| | Voc. | ros-ae | domĭn-i | puĕr-i | verb-a | dolor-es | veritat-es |
| | Ac. | ros-as | domĭn-os | puĕr-os | verb-a | dolor-es | veritat-es |
| | Gen. | ros-arum | domin-orum | puer-orum | verb-orum | dolor-um | veritat-um |
| | Dat. | ros-is | domĭn-is | puĕr-is | verb-is | dolor-ĭbus | veritat-ĭbus |
| | Abl. | ros-is | domĭn-is | puĕr-is | verb-is | dolor-ĭbus | veritat-ĭbus |

# QUADRO SINÓPTICO DAS DECLINAÇÕES DO[S]

|  | CASO | PRIMEIRA CLASSE | | | | | | |
|---|---|---|---|---|---|---|---|---|
| | | MASC. | FEM. | NEUTRO | MASC. | FEM. | NEUTRO | MASC. |
| SINGULAR | Nom. | bon-us | bon-a | bon-um | piger | pigr-a | pigr-um | ac-er |
| | Voc. | bon-e | bon-a | bon-um | piger | pigr-a | pigr-um | ac-er |
| | Ac. | bon-um | bon-am | bon-um | pigr-um | pigr-am | pigr-um | acr-em |
| | Gen. | bon-i | bon-ae | bon-i | pigr-i | pigr-ae | pigr-i | acr-is |
| | Dat. | bon-o | bon-ae | bon-o | pigr-o | pigr-ae | pigr-o | acr-i |
| | Abl. | bon-o | bon-ā | bon-o | pigr-o | pigr-ā | pigr-o | acr-i |
| PLURAL | Nom. | bon-i | bon-ae | bon-a | pigr-i | pigr-ae | pigr-a | acr-es |
| | Voc. | bon-i | bon-ae | bon-a | pigr-i | pigr-ae | pigr-ae | acr-es |
| | Ac. | bon-os | bon-as | bon-a | pigr-os | pigr-as | pigr-a | acr-es |
| | Gen. | bon-orum | bon-arum | bon-orum | pigr-orum | pigr-arum | pigr-orum | acr-ĭum |
| | Dat. | bon-is | bon-is | bon-is | pigr-is | pigr-is | pigr-is | acr-ĭbus |
| | Abl. | bon-is | bon-is | bon-is | pigr-is | pigr-is | pigr-is | acr-ĭbus |

# DOS SUBSTANTIVOS

|  | III (Grupo B) |  |  | IV |  | V | Função |
|---|---|---|---|---|---|---|---|
| corpus | civ-*is* | ars | mar-*e* | cant-*us* | gen-*u* | r-*es* | SUJEITO |
| corpus | civ-*is* | ars | mar-*e* | cant-*us* | gen-*u* | r-*es* | CHAMAMENTO |
| corpus | civ-*em* | art-*em* | mar-*e* | cant-*um* | gen-*u* | r-*em* | OBJETO DIRETO |
| corpŏr-*is* | civ-*is* | art-*is* | mar-*is* | cant-*us* | gen-*us* | r-*ei* | ADJ. RESTRITIVO |
| corpŏr-*i* | civ-*i* | art-*i* | mar-*i* | cant-*ŭi* | gen-*ŭi* | r-*ei* | OBJ. INDIRETO |
| corpŏr-*e* | civ-*e* | art-*e* | mar-*i* | cant-*u* | gen-*u* | r-*e* | ADJ. CIRCUNST. |
| corpŏr-*a* | civ-*es* | art-*es* | mar-*ĭa* | cant-*us* | gen-*ŭa* | r-*es* | SUJEITO |
| corpŏr-*a* | civ-*es* | art-*es* | mar-*ĭa* | cant-*us* | gen-*ŭa* | r-*es* | CHAMAMENTO |
| corpŏr-*a* | civ-*es* | art-*es* | mar-*ĭa* | cant-*us* | gen-*ŭa* | r-*es* | OBJETO DIRETO |
| corpŏr-*um* | civ-*ĭum* | art-*ĭum* | mar-*ĭum* | cant-*ŭum* | gen-*ŭum* | r-*erum* | ADJ. RESTRITIVO |
| corpŏr-*ĭbus* | civ-*ĭbus* | art-*ĭbus* | mar-*ĭbus* | cant-*ĭbus* | gen-*ĭbus* | r-*ebus* | OBJ. INDIRETO |
| corpŏr-*ĭbus* | civ-*ĭbus* | art-*ĭbus* | mar-*ĭbus* | cant-*ĭbus* | gen-*ĭbus* | r-*ebus* | ADJ. CIRCUNST. |

# ADJETIVOS

| SEGUNDA CLASSE ||||||||
|---|---|---|---|---|---|---|---|
| FEM. | NEUTRO | M-F |  NEUTRO | M.-F. | NEUTRO | M.-F. | NEUTRO |
| acr-*is* | acr-*e* | fort-*is* | fort-*e* | atrox |  | vetus |  |
| acr-*is* | acr-*e* | fort-*is* | fort-*e* | atrox |  | vetus |  |
| acr-*em* | acr-*e* | fort-*em* | fort-*e* | atroc-*em* | atrox | vetĕr-*em* | vetus |
| acr-*is* | acr-*is* | fort-*is* | fort-*is* | atroc-*is* |  | vetĕr-*is* |  |
| acr-*i* | acr-*i* | fort-*i* | fort-*i* | atroc-*i* |  | vetĕr-*i* |  |
| acr-*i* | acr-*i* | fort-*i* | fort-*i* | atroc-*i* |  | vetĕr-*e* |  |
| acr-*es* | acr-*ĭa* | fort-*es* | fort-*ĭa* | atroc-*es* | atroc-*ĭa* | vetĕr-*es* | vetĕr-*a* |
| acr-*es* | acr-*ĭa* | fort-*es* | fort-*ĭa* | atroc-*es* | atroc-*ĭa* | vetĕr-*es* | vetĕr-*a* |
| acr-*es* | acr-*ĭa* | fort-*es* | fort-*ĭa* | atroc-*es* | atroc-*ĭa* | vetĕr-*es* | vetĕr-*a* |
| acr-*ĭum* | acr-*ĭum* | fort-*ĭum* | fort-*ĭum* | atroc-*ĭum* || vetĕr-*um* ||
| acr-*ĭbus* | acr-*ĭbus* | fort-*ĭbus* | fort-*ĭbus* | atroc-*ĭbus* || veter-*ĭbus* ||
| acr-*ĭbus* | acr-*ĭbus* | fort-*ĭbus* | fort-*ĭbus* | atroc-*ĭbus* || veter-*ĭbus* ||

# JOGOS DE DECLINAÇÃO

**1.** Que significa declinar um nome?

**2.** Quantas declinações há de nomes?

**3.** Como se reconhece a declinação de um nome?

**4.** Quantas classes há de adjetivos?

**5.** Quantos casos há?

**6.** Indiquem as terminações do nominativo singular e plural nas diversas declinações; as do vocativo, etc.

**7.** Há casos iguais na I declinação? E nas outras?

**8.** Há palavras masculinas na I declinação? Femininas na II? Neutras na IV? Masculinas na V?

**9.** Quais são os casos em que a terminação dos masculinos da II declinação difere da terminação dos neutros da mesma declinação?

**10.** Todos os nomes da II declinação têm o vocativo singular em *-e*?

**11.** A que casos pode corresponder a terminação *-a* nas diversas declinações?

**12.** Em quantas declinações se encontra a terminação *-us* no nominativo singular?

**13.** Em que declinação o vocativo difere do nominativo?

**14.** Quais as declinações em que o genitivo e o dativo singular terminam do mesmo modo?

**15.** Indiquem um nome que tenha quatro casos iguais no singular.

**16.** A terminação do adjetivo é sempre igual à do substantivo que ele acompanha?

# JOGOS DE CONJUGAÇÃO

**1.** Quantas são as conjugações em latim?

**2.** Por que convém dividir a 3ª conjugação em dois grupos?

**3.** Como se reconhece a conjugação de um verbo?

**4.** A terminação *-ent* pode ser de dois tempos. Quais?

**5.** Quais as conjugações em que a 3ª pessoa do sing. do futuro do indicativo acaba um *-bit*?

**6.** Quais as conjugações em que a 3ª pessoa do plural do presente do indicativo acaba em *-ĭunt*?

**7.** Quais as conjugações em que a 1ª pessoa do singular do imperfeito acaba em *-ebam*?

**8.** Que significam em português: *estis, amabo, legam, auditis, ero, ridemus*?

## QUEBRA-CABEÇAS

**1.** Todas as classes de palavras são variáveis em latim?

**2.** Que é que há mais: classes declináveis ou conjugáveis?

**3.** Qual é a classe de palavras que existe em português, mas falta em latim?

**4.** Para exprimir a mesma ideia, o latim geralmente emprega menos palavras do que o português. Demonstrem-no por alguns exemplos.

**5.** Na frase portuguesa o sujeito deve, em geral, preceder o objeto direto. Em latim pode precedê-lo ou segui-lo. Por que esta maior liberdade em latim?

# FRASES PARA COMPLETAR

**1.** Os adjetivos da 2ª classe declinam-se pela ... declinação.

**2.** O genitivo singular tem terminação ... em cada declinação.

**3.** O ... e o vocativo têm quase sempre terminações idênticas.

**4.** O complemento predicativo aparece quando o verbo da oração é ... .

**5.** Na V declinação, só os substantivos ... e ... se declinam em todos os casos.

**6.** O substantivo ... pode ser masculino ou feminino.

**7.** *Mi* é o ... de *meus*.

**8.** O adjetivo *celer* é da ... classe.

**9.** A preposição ... rege ora acusativo, ora ablativo.

**10.** O infinitivo em *ĕre* é característico da ... conjugação.

# XXI — CONSILĬA UTILĬA PATRIS AD FILĬUM

Deo supplĭca. Parentes ama. Pro patrĭā pugna. Cum bonis ambŭla, ut ipse bonus sis. Saluta libenter, ut te quoque libenter salutent. Rem tuam custodi. Disce, ut scias. Alĕam fuge, ut vir probus manĕas. Cogĭta semper proverbĭum:

"Edo, ut vivam, non vivo, ut edam."

# VOCABULÁRIO

| | |
|---|---|
| *consilĭum,-ĭi* n. | conselho |
| *utĭlis,-e* | útil |
| *ad* (prep. de ac.) | para |
| *supplĭco,-as,-are* | suplicar |
| *parentes,-um* m. pl. | os pais |
| *pro* (prep. de abl.) | por |
| *ambŭlo,-as,-are* | andar |
| *ut* (conj.) | para que |
| *ipse* | tu mesmo |
| *libenter* (adv.) | de boa vontade |
| *custodĭo,-is,-ire* | guardar, conservar |
| *scio,-is,-ire* | saber |
| *alĕa,-ae* f. | jogo (de dados) |
| *fugĭo,-is,-ĕre* | fugir; evitar |
| *probus,-a,-um* | bom, honrado |
| *edo,-is,-ĕre* | comer |

# GRAMÁTICA

## § 39. O presente do subjuntivo.

Forma-se nas quatro conjugações da seguinte maneira:

| I. | II. | III.a) | III.b) | IV. |
|---|---|---|---|---|
| ame-*m* | vidĕ-*am* | leg-*am* | capĭ-*am* | audĭ-*am* |
| ame-*s* | vidĕ-*as* | leg-*as* | capĭ-*as* | audĭ-*as* |
| ame-*t* | vidĕ-*at* | leg-*at* | capĭ-*at* | audĭ-*at* |
| ame-*mus* | vidĕ-*amus* | leg-*amus* | capi-*amus* | audi-*amus* |
| ame-*tis* | vidĕ-*atis* | leg-*atis* | capi-*atis* | audi-*atis* |
| ame-*nt* | vidĕ-*ant* | leg-*ant* | capĭ-*ant* | audĭ-*ant* |
| "eu ame", etc. | "eu veja", etc. | "eu leia", etc. | "eu prenda", etc. | "eu ouça", etc. |

> CUIDADO! Não confundir, na III e na IV conjugação, o presente do subj. com o futuro do ind. Estes dois tempos têm só uma forma comum, a da 1ª pessoa do singular.

O presente do subjuntivo de *sum* é o seguinte:

*sim, sis, sit, simus, sitis, sint*     "eu seja", etc.

## § 40. Os adjetivos possessivos.

### SINGULAR

| 1ª pessoa | *meus, mea, meum* | "meu, minha"[1] |
| 2ª pessoa | *tuus, tua, tuum* | "teu, tua" |
| 3ª pessoa | *suus, sua, suum* | "seu, sua" |

---

1   O vocativo masculino singular de *meus* é *mi*.

**PLURAL**

| | | |
|---|---|---|
| 1ª pessoa | *noster, nostra, nostrum* | "nosso, nossa" |
| 2ª pessoa | *vester, vestra, vestrum* | "vosso, vossa" |
| 3ª pessoa | *suus, sua, suum* | "seu, sua" |

## EXERCÍCIOS

1. Formar o presente do subjuntivo de: *manĕo, ambŭlo, disco, scio*.
2. Dizer em latim:

    Viva eu.

    Vivam eles.

    Trabalho.

    Trabalhai.

    Rias.

    Riamos nós.
3. Declinar: *consilĭum utĭle; vir probus*.
4. Declinar: *res tua; pater meus; mater nostra; suum corpus*.
5. Pôr os conselhos da leitura no plural. (Observando que o plural de *ipse* é *ipsi*.)
6. Traduzir:

    Obedecei aos conselhos de vossos pais, para que sejais homens bons.

    Aprendei bem as sentenças, para que o vosso professor esteja contente.

## XXII DE DILUVĬO

Scelĕra genĕris humani irritabant Iovem. Frustra petebant homĭnes ut ignoscĕret; terris diluvĭum misit. Flumĭna per apertos campos ruebant, domos destruebant. Undae tam altae erant ut mare et terra nullum discrimen haberent.

# VOCABULÁRIO

| | |
|---|---|
| *diluvĭum,-ĭi* n. | dilúvio |
| *flumen,-ĭnis* n. | rio |
| *scelus,-ĕris* n. | crime |
| *apertus,-a,-um* | aberto |
| *genus,-ĕris* n. | gênero |
| *campus,-i* m. | campo, planície |
| *humanus,-a,-um* | humano |
| *ruo,-is,-ĕre* | precipitar-se |
| *Iupĭter, Iovis* m. | Júpiter |
| *domus,-us* f. | casa |
| *frustra* (adv.) | em vão |
| *destrŭo,-is,-ĕre* | destruir |
| *peto,-is,-ĕre* | pedir |
| *unda,-ae* f. | onda |
| *ut* (conj.) | que |
| *tam* (adv.) | tão |
| *ignosco,-is,-ĕre* | perdoar |
| *altus,-a,-um* | alto |
| *misit* | mandou |
| *discrimen,-ĭnis* n. | diferença |

# GRAMÁTICA

## § 41. O imperfeito do subjuntivo.

Forma-se do infinitivo presente, ao qual se acrescentam as terminações seguintes: *-m, -s, -t, -mus, -tis, -nt*, assim:

| I. | II. | III.a) | III.b) | IV. |
|---|---|---|---|---|
| amare-*m* | videre-*m* | legĕre-*m* | capĕre-*m* | audire-*m* |
| amare-*s* | videre-*s* | legĕre-*s* | capĕre-*s* | audire-*s* |
| amare-*t* | videre-*t* | legĕre-*t* | capĕre-*t* | audire-*t* |
| amare-*mus* | videre-*mus* | legere-*mus* | capere-*mus* | audire-*mus* |
| amare-*tis* | videre-*tis* | legere-*tis* | capere-*tis* | audire-*tis* |
| amare-*nt* | videre-*nt* | legĕre-*nt* | capĕre-*nt* | audire-*nt* |
| "eu amasse", etc. | "eu visse", etc. | "eu lesse", etc. | "eu prendesse", etc. | "eu ouvisse", etc. |

O imperfeito do subjuntivo de *sum* é o seguinte:
*essem, esses, esset, essemus, essetis, essent*, "eu fosse", etc.

**N.B.** O imperfeito do subjuntivo não se traduz sempre pela mesma forma em português. Assim, nesta leitura, *haberent* deve ser traduzido pelo imperfeito do indicativo. Por outro lado, na frase *Sine amicitiā vita tristis esset*, na XXV leitura, *esset* traduz-se pelo presente do condicional.

## § 42. Declinação de DOMUS. O locativo.

A declinação do substantivo *domus* segue as regras ora da II, ora da IV declinação.

| CASO | SING. | PLURAL |
|---|---|---|
| Nom. | domus | domus |
| Voc. | domus | domus |
| Ac. | domum | domos |
| Gen. | domus | domŭum ou domorum |
| Dat. | domŭi | domĭbus |
| Abl. | domo | domĭbus |

**N.B.** Na declinação desta palavra sobrevive um antigo caso, o locativo, desaparecido da declinação de quase todos os outros nomes. O locativo singular *domi* desempenha a função de adjunto adverbial de lugar e se traduz por "em casa".

# EXERCÍCIOS

1. Formar o pres. e o imperf. do subj. de *irritare, petĕre, ruĕre, habere*.

2. Dizer em latim:

    Tenha eu.

    Tivesse eu.

    Que tu leias.

    Lêsseis vós.

    Ignore ele.

    Ignorasse ele.

3. Declinar: *genus humanum* (só no singular); *mare et terra*.

4. Passar para o imperfeito: *Edo ut vivam, non vivo ut edam. Petĭmus ut veniatis.*

5. Transpor toda a leitura XXII para o presente.

**6.** Traduzir por escrito:

Os alunos bons aprendiam em casa para saber (para que soubessem).

O dilúvio era tão grande que destruiu (imperf. do subj.) os templos.

Sexto fugia do jogo para ficar (para que ficasse) um homem honrado.

# XXIII — DE DEUCALIONE ET PYRRHĀ

Diluvĭum omnĭa¹ vastavit.

Cum aquae decreverunt, de tot hominĭbus terrae unus vir, Deucalĭon, et una femĭna, Pyrrha, superĕrant, ambo veterrĭmi. Deucalĭon, popŭlos terrae renovaturus, oracŭlum Themĭdis consulŭit. Dea hoc responsum dedit: "Ossa magnae parentis iactate post tergum."

---

1  O neutro dos adjetivos usa-se frequentemente como substantivo: *bonum* ("o bem"), *malum* ("o mal"), etc. Estes adjetivos substantivados estão muitas vezes no plural, quando em português se emprega o singular; assim, *omnĭa* deve ser traduzido por "tudo".

# VOCABULÁRIO

| | |
|---|---|
| *Deucalĭon,-onis* m. | Deucalião |
| *renovaturus,-a,-um* | querendo renovar |
| *Pyrrha,-ae* f. | Pirra |
| *vasto,-as,-are,-avi* | devastar |
| *decresco,-is,-ĕre,-crevi* | decrescer, baixar |
| *Themis,-ĭdis* f. | Têmis (deusa da justiça) |
| *tot* (indecl.) | tantos |
| *consŭlo,-is,-ĕre, ŭi* | consultar |
| *unus,-a,-um* | um só |
| *responsum,-i* n. | resposta |
| *femĭna,-ae* f. | mulher |
| *do, das, dăre, dĕdi* | dar |
| *supersum,-es, esse,-fŭi* | sobreviver |
| *os, ossis* n. | osso |
| *parens,-entis* f. | mãe |
| *ambo* | ambos |
| *iacto,-as,-are,-avi* | jogar, atirar |
| *veterrĭmus,-a,-um* | muito velho |
| *post* (prep. de ac.) | atrás de |
| *oracŭlum,-i* n. | oráculo |
| *tergum,-i* n. | costas |

# GRAMÁTICA

## § 43. O pretérito perfeito.

As terminações do pretérito perfeito: *-i, -isti, -it, -ĭmus, -istis, erunt* (ou *-ere*) acrescentam-se a um tema especial que geralmente difere do tema do presente. Assim, em nossos cinco paradigmas temos:

| I. | II. | III.a) | III.b) | IV. |
|---|---|---|---|---|
| amav-*i* | vid-*i* | leg-*i* | cep-*i* | audiv-*i* |
| amav-*isti* | vid-*isti* | leg-*isti* | cep-*isti* | audiv-*isti* |
| amav-*it* | vid-*it* | leg-*it* | cep-*it* | audiv-*it* |
| amav-*ĭmus* | vid-*ĭmus* | leg-*ĭmus* | cep-*ĭmus* | audiv-*ĭmus* |
| amav-*istis* | vid-*istis* | leg-*istis* | cep-*istis* | audiv-*istis* |
| amav-*erunt* ou-*ere* | vid-*erunt* ou-*ere* | vid-*erunt* ou-*ere* | leg-*erunt* ou-*ere* | cep-*erunt* ou-*ere* |
| "eu amei", etc. | "eu vi", etc. | "eu li", etc. | "eu prendi", etc. | "eu ouvi", etc. |

Como vemos, em todos estes verbos o tema do perfeito difere do tema do presente; mesmo em *vĭdĕo* e *lĕgo*, onde a vogal temática se alonga: *vīdi, lēgi*.

Nos verbos da I conjugação o tema do perfeito acaba geralmente em *av-*; nas três outras, há temas de terminações muito diferentes. O conhecimento deste tema é tanto mais importante quanto dele se formam, além do pretérito perfeito do indicativo, o mais-que-perfeito e o futuro perfeito do indicativo, o perfeito e o mais-que-perfeito do subjuntivo e o infinito perfeito, tempos que aprenderemos em seguida. Eis por que os dicionários, ao registrar um verbo, dão ao lado das 1ª e 2ª pessoas do presente do indicativo e ao lado do infinitivo presente, a 1ª pessoa do pretérito perfeito, assim:

*lego,-is,-ĕre, lĕgi* ou

*audĭo,-is,-ire,-ivi*, etc.

O pretérito perfeito de *sum* é o seguinte: *fui, fuisti, fuit, fuĭmus, fuistis, fuerunt* ou *fuere* ("eu fui"), etc.

## EXERCÍCIOS

1. Conjugar no pretérito perfeito os verbos seguintes (entre parênteses a 1ª pessoa do pret. perf.) *vasto* (*vastavi*), *do* (*dedi*), *consŭlo* (*consulŭi*), *supersum* (*superfŭi*).

2. Passar a leitura XIX para o pretérito perfeito. Para saber o tema do perfeito de cada um dos verbos, ver o Léxico do fim do livro.

3. Dar os tempos seguintes de *renovare*: pres., imperf., fut., pret. perf. do indicativo, pres. e imperf. do subjuntivo.

4. Dar as formas do verbo *iactare* que significam: eu joguei, ele jogava, jogareis, joguem, jogar, joga tu, jogássemos.

5. Declinar: *vir et mulĭer; magna parens*.

6. Traduzir:

   Deucalião ouviu as palavras da deusa.

   Os rios destruíram as casas.

   Meditastes a história do dilúvio?

# XXIV DE NOVIS HOMINĬBUS

Deucalĭon et Pyrrha, qui oracŭlum non intellexĕrant, diu in anĭmo volvebant. Tandem maritus dixit Pyrrhae:

— Nunc intellexi oracŭlum. Magna parens terra est. Ossa parentis ergo lapĭdes sunt.

Tum maritus et uxor lapĭdes post terga iactaverunt. Saxa statim humanam formam duxerunt.

## VOCABULÁRIO

| | |
|---|---|
| *intellĕgo,-is,-ĕre,-lexi* | compreender |
| *diu* (adv.) | durante muito tempo |
| *volvo,-is,-ĕre, volvi* | resolver, meditar |
| *tandem* (adv.) | afinal |
| *maritus,-i* m. | marido |
| *uxor,-oris* f. | esposa |
| *lapis,-ĭdis* m. | pedra |
| *saxum,-i* n. | pedra |
| *statim* (adv.) | logo |
| *forma,-ae* f. | forma |
| *duco,-is,-ĕre, duxi* | conduzir, tomar |

## GRAMÁTICA

### § 44. O pretérito mais-que-perfeito do indicativo.

Cortando a terminação *-i* da 1ª pessoa do singular do pretérito perfeito, obtém-se o tema do perfeito. A esse tema acrescentamos as terminações seguintes:

*-ĕram, -ĕras, -ĕrat, -eramus, -eratis, -ĕrant*

Assim teremos:

| I. | II. | III.a) | III.b) | IV. |
|---|---|---|---|---|
| amav-ĕram | vid-ĕram | leg-ĕram | cep-ĕram | audiv-ĕram |
| amav-ĕras | vid-ĕras | leg-ĕras | cep-ĕras | audiv-ĕras |
| amav-ĕrat | vid-ĕrat | leg-ĕrat | cep-ĕrat | audiv-ĕrat |
| amav-eramus | vid-eramus | leg-eramus | cep-eramus | audiv-eramus |
| amav-eratis | vid-eratis | leg-eratis | cep-eratis | audiv-eratis |
| amav-ĕrant | vid-ĕrant | leg-ĕrant | cep-ĕrant | audiv-ĕrant |
| "eu amara" ou "tinha amado" | "eu vira" ou "tinha visto" | "eu lera" ou "tinha lido" | "eu prendera" ou "tinha prendido" | "eu ouvira" ou "tinha ouvido" |

O pretérito mais-que-perfeito do indicativo de *sum* é o seguinte: *fuĕram, fuĕras, fuĕrat, fueramus, fueratis, fuĕrant*, "eu fora" ou "tinha sido".

## EXERCÍCIOS

1. Formar a 1ª pessoa do singular do mais-que-perfeito do indicativo de *volvo, dico, iacto, facĭo*.

2. Formar a 3ª pessoa do plural do mais-que-perfeito do ind. dos verbos contidos na leitura XXIII.

3. Dizer as formas do verbo *intellegĕre* que significam:

   compreendi, ele tinha compreendido, nós compreendíamos, vós compreendereis, compreenderás, compreende tu, compreender.

4. Dizer se a palavra *oracŭlum*, nas duas vezes que ocorre na leitura, está no mesmo caso.

5. Dizer a mesma coisa acerca de *lapĭdes*, que também aparece duas vezes.

6. Traduzir por escrito:

Deucalião compreendeu o que (*quae*) a deusa dissera.

Aprendeste a fábula que (*quam*) teus professores tinham explicado?

## XXV — DE AMICITIĀ ET AMICIS

— Parate vobis amicos — dicebat Orbilĭus discipŭlis.

— Sine amicitiā vita tristis esset[1]. Si amicos bene elegerĭtis[2], socĭos malorum habebĭtis. Diserte enim Publilĭus Syrus scripsit: "Secundae amicos res parant, tristes probant[3]."

Discipŭli Orbilĭi verba Publilĭi cogitabant. At vos sententĭam poëtae Ovidĭi Nasonis semper cogitate:

"Donec eris felix, muitos numerabis amicos;

Tempŏra si fuĕrint nubĭla, solus eris."

---

1 Ver a observação no fim do § 41.
2 Ver a observação no fim do § 45.
3 = *Secundae res parant, tristes res probant amicos.*

# VOCABULÁRIO

| | |
|---|---|
| *hic* (adv.) | aqui |
| *felicĭtas,-atis* f. | felicidade |
| *infelicĭtas,-atis* f. | infelicidade |
| *paro,-as,-are,-avi* | obter, arranjar |
| *tristis,-e* | triste |
| *elĭgo,-is,-ĕre, elegi* | escolher |
| *socĭus,-ĭi* m. | companheiro |
| *malum,-i* n. | infortúnio, mal |
| *diserte* (adv.) | com acerto |
| *enim* (conj.) | de fato |
| *scribo,-is,-ere, scripsi* | escrever |
| *secundus,-a,-um* | favorável, propício |
| *probo,-as,-are,-avi* | experimentar |
| *Ovidĭus Naso* | Ovídio Nasão |
| *donec* (conj.) | enquanto |
| *felix* (gen. *felicis*) | feliz |
| *numĕro,-as,-are,-avi* | contar |
| *tempus,-ŏris* n. | tempo |
| *nubĭlus,-a,-um* | nebuloso, nublado |
| *solus,-a,-um* | só, sozinho |

# GRAMÁTICA

## § 45. O futuro perfeito do indicativo.

As terminações deste tempo são:

*-ĕro, -ĕris, -ĕrit, -erĭmus, -erĭtis, -ĕrint*

que se acrescentam ao tema do perfeito. Destarte obteremos:

| I. | II. | III.a) | III.b) | IV. |
|---|---|---|---|---|
| amav-*ĕro* | vid-*ĕro* | leg-*ĕro* | cep-*ĕro* | audiv-*ĕro* |
| amav-*ĕris* | vid-*ĕris* | leg-*ĕris* | cep-*ĕris* | audiv-*ĕris* |
| amav-*ĕrit* | vid-*ĕrit* | leg-*ĕrit* | cep-*ĕrit* | audiv-*ĕrit* |
| amav-*erĭmus* | vid-*erĭmus* | leg-*erĭmus* | cep-*erĭmus* | audiv-*erĭmus* |
| amav-*erĭtis* | vid-*erĭtis* | leg-*erĭtis* | cep-*erĭtis* | audiv-*erĭtis* |
| amav-*ĕrint* | vid-*ĕrint* | leg-*ĕrint* | cep-*ĕrint* | audiv-*ĕrint* |
| "eu terei amado", etc. | "eu terei visto", etc | "eu terei lido", etc. | "eu terei prendido", etc. | "eu terei ouvido", etc. |

O futuro perfeito do indicativo de *esse* é o seguinte:

*fuĕro, fuĕris, fuĕrit, fuerĭmus, fuerĭtis, fuĕrint* "eu terei sido", etc.

**N.B.** Não havendo em latim futuro do subjuntivo, o papel desse tempo é também desempenhado pelo futuro perfeito do indicativo. Portanto *donec eris felix* traduz-se por "enquanto fores feliz" e *si amicos bene elegerĭtis* por "se tiverdes escolhido bem os amigos".

# EXERCÍCIOS

1. Dar o futuro simples e o futuro perfeito de *dico, scribo, curo*.
2. Dizer em latim:

dirás, terás dito, disseste, dizias, dizes, digas, dissesses.
3. Declinar: *secunda res*; *vita tristis*; *tempus nubĭlum*.
4. Fazer uma lista das conjunções da leitura.
5. Traduzir por escrito:

   Quando tiverdes jogado pedras atrás das costas — disse o oráculo a Deucalião e a Pirra — a terra logo terá novos habitantes (*incŏla,-æ* m.).
6. Explicar oralmente em português o que o poeta quer dizer com as palavras "*tempŏra si fuĕrint nubĭla*". Os versos de Ovídio têm o mesmo sentido que a sentença de Publílio Siro, ou significam outra coisa?

# XXVI ARS BENE VIVENDI

Orbilĭus ad discipŭlos: — Cupitisne bene vivĕre? Haec praecepta Publilĭi Syri ne neglexerītis, puĕri.

Primum: "Secreto amicos admŏne, lauda palam."

Secundum: "Pacem cum hominĭbus, bellum cum vitĭis habe."

Tertĭum: "Nemĭnem nec accusavĕris, nec laudavĕris cito."

# VOCABULÁRIO

| | |
|---|---|
| *ars, artis* f. | arte |
| *bene vivendi* | de bem viver |
| *cupĭo,-is,-ĕre,-ivi,-ne* | desejar (partícula interrogativa, não se traduz) |
| *cupitisne?* | desejais? |
| *haec* | estes |
| *ne* (adv.) | não |
| *secreto* (adv.) | em segredo |
| *neglĕgo,-is,-ĕre,-lexi* | desprezar |
| *admonĕo,-es,-ere, ŭi* | advertir, admoestar |
| *palam* (adv.) | publicamente |
| *pax, pacis* f. | paz |
| *vitĭum,-ĭi* n. | vício |
| *nemo,-ĭnis* m. | ninguém |
| *nec* (conj.) | nem |
| *accuso,-as,-are,-avi* | acusar |
| *cito* (adv.) | depressa, facilmente |

# GRAMÁTICA

§ 46. O pretérito perfeito do subjuntivo forma-se com as terminações *-ĕrim, -ĕris, -ĕrit, -erĭmus, -erĭtis, -ĕrint* acrescentadas ao radical do perfeito. Assim, tem-se nas quatro conjugações:

| I. | II. | III.a) | III.b) | IV. |
|---|---|---|---|---|
| amav-*ĕrim* | vid-*ĕrim* | leg-*ĕrim* | cep-*ĕrim* | audiv-*ĕrim* |
| amav-*ĕris* | vid-*ĕris* | leg-*ĕris* | cep-*ĕris* | audiv-*ĕris* |
| amav-*ĕrit* | vid-*ĕrit* | leg-*ĕrit* | cep-*ĕrit* | audiv-*ĕrit* |
| amav-*erĭmus* | vid-*erĭmus* | leg-*erĭmus* | cep-*erĭmus* | audiv-*erĭmus* |
| amav-*erĭtis* | vid-*erĭtis* | leg-*erĭtis* | cep-*erĭtis* | audiv-*erĭtis* |
| amav-*ĕrint* | vid-*erĭnt* | leg-*ĕrint* | cep-*ĕrint* | audiv-*ĕrint* |
| "eu tenha amado", etc. | "eu tenha visto", etc. | "eu tenha lido", etc. | "eu tenha prendido", etc. | "eu tenha ouvido", etc. |

O pretérito perfeito do subjuntivo de *sum* é o seguinte:
*fuĕrim, fuĕris, fuĕrit, fuerĭmus, fuerĭtis, fuĕrint* "eu tenha sido", etc.

Como vemos, exceto a primeira pessoa do singular, todas as formas do pretérito perfeito do subjuntivo são iguais às do futuro perfeito do indicativo.

**N.B.** O pretérito perfeito do subjuntivo usa-se frequentemente em ordens proibitivas, depois dos advérbios *ne* e *nec*, em substituição ao imperativo. *Nec accusavĕris, nec laudavĕris* traduz-se por "nem acuses, nem louves".

# EXERCÍCIOS

1. Conjugar *neglĕgo, laudo, habĕo,* no pret. perf. do subjuntivo.
2. Formar o presente, o imperfeito e o pretérito perfeito do subjuntivo de *accusare*.
3. Dizer em latim:

louva tu, não louves; louvai, não louveis; desejem, desejassem, tenham desejado.

4. Declinar: *pax et bellum.*

5. Traduzir por escrito:

    Não advirtas o amigo publicamente.

    Não façais paz com os vícios, nem guerra aos homens.

    Professores, não louveis os alunos preguiçosos.

6. Lembrar outros ditados latinos que se referem aos amigos e à amizade, como o primeiro preceito desta leitura.

GRADUS PRIMUS • 125

# XXVII DE ARTE DAEDĂLI

Rex Minos Daedălum cum filĭo Icăro in insŭlā Cretā inclusĕrat. Si Daedălus artem miram non invenisset, semper in servitute mansisset. At artĭfex pennas in ordĭne posŭit alarum modo et cerā ligavit.

## VOCABULÁRIO

*Daedălus,-i* m. .................................. Dédalo

*rex, regis* m. .................................. rei

| | |
|---|---|
| *Minos,-ois* m. | Minos (rei de Creta) |
| *Icărus,-i* m. | Ícaro |
| *insŭla,-ae* f. | ilha |
| *Creta,-ae* f. | Creta |
| *includo,-is,-ĕre,-clusi* | encerrar, fechar |
| *mirus,-a,-um* | admirável |
| *invĕnĭo,-is,-ire,-vĕni* | inventar |
| *at* (conj.) | mas |
| *servĭtus,-utis* f. | escravidão |
| *artĭfex,-fĭcis* m. | artífice |
| *penna,-ae* f. | pena |
| *ordo,-ĭnis* m. | ordem |
| *pono,-is,-ĕre, posŭi* | pôr |
| *ala,-ae* f. | asa |
| *modus,-i* m. | modo, maneira |
| *cera,-ae* f. | cera |
| *ligo,-as,-are,-avi* | ligar |

## GRAMÁTICA

§ 47. O pretérito mais-que-perfeito do subjuntivo forma-se com as seguintes terminações:

*-issem, -isses, -isset, -issemus, -issetis, -issent*

acrescentadas ao radical do perfeito. Assim:

| I. | II. | III.a) | III.b) | IV. |
|---|---|---|---|---|
| amav-*issem* | vid-*issem* | leg-*issem* | cep-*issem* | audiv-*issem* |
| amav-*isses* | vid-*isses* | leg-*isses* | cep-*isses* | audiv-*isses* |
| amav-*isset* | vid-*isset* | leg-*isset* | cep-*isset* | audiv-*isset* |
| amav-*issemus* | vid-*issemus* | leg-*issemus* | cep-*issemus* | audiv-*issemus* |
| amav-*issetis* | vid-*issetis* | leg-*issetis* | cep-*issetis* | audiv-*issetis* |
| amav-*issent* | vid-*issent* | leg-*issent* | cep-*issent* | audiv-*issent* |
| "eu tivesse amado", etc. | "eu tivesse visto", etc. | "eu tivesse lido", etc. | "eu tivesse prendido", etc. | "eu tivesse ouvido", etc. |

O pretérito mais-que-perfeito do subjuntivo de *sum* é o seguinte: *fuissem, fuisses, fuisset, fuissemus, fuissetis, fuissent* "tivesse sido", etc.

**N.B.** Este tempo substitui muitas vezes o passado do condicional, que falta em latim. *Semper in servitute mansisset* traduz-se por: "teria ficado sempre na escravidão".

# EXERCÍCIOS

1. Formar o mais-que-perfeito do subjuntivo de *invenĭo, pono, ligo*.

2. Dar os quatro tempos do subjuntivo — presente, imperfeito, perfeito e mais-que-perfeito — de *includo*.

3. Dizer em latim as formas de *volo* que significam:

   *voem, tenhas voado, eu voasse, tivéssemos voado.*

4. Declinar: *ars mira; tristis servĭtus*.

DE ARTE DAEDĂLI ♦ 127

5. Traduzir por escrito:

Se os homens tivessem sido honestos, Júpiter não teria devastado as terras pelo dilúvio.

Se Deucalião não tivesse compreendido o oráculo, não teria jogado pedras atrás das costas.

6. Resolvam se a palavra *cum* da primeira frase da leitura é conjunção ou preposição. Expliquem as razões de sua resposta.

# XXVIII SALSE DICTA

Orbilĭus ad discipŭlos: — Novas sententĭas Publilĭi nunc vobis dictabo, acutas omnes et pulchras.

"Iniuriarum remedĭum est oblivĭo.

Vita et fama homĭnis ambŭlant passu pari.

Dies quod donat timĕas: cito raptum venit.

Deliberando saepe perit occasĭo."

# VOCABULÁRIO

| | |
|---|---|
| *ad* (prep. de ac.) | para |
| *salse* (adv.) | espirituosamente |
| *dictus,-a,-um* | dito |
| *salse dicta* | ditos espirituosos |
| *acutus,-a,-um* | agudo |
| *oblivĭo,-onis* f. | esquecimento |
| *fama,-ae* f. | fama |
| *ambŭlo,-as,-are,-avi,-atum* | andar |
| *passus,-us* m. | passo |
| *par, paris* adj. | igual |
| *timĕo,-es,-ere,-ŭi* | temer |
| *dono,-as,-are,-avi,-atum* | dar |
| *rapĭo,-is,-ĕre,-ŭi,-tum* | arrebatar, raptar |
| *vĕnio,is,-ire, veni, ventum* | vir |
| *delibero,-as,-are,-avi,-atum* | deliberar |
| *pereo,-is,ire,-ĭi,-itum,* | desaparecer, perecer |
| *occasĭo,-onis* f. | ocasião |

# GRAMÁTICA

§ 48. **Depois dos verbos que exprimem movimento,** o *supino* funciona como o nosso infinitivo. Assim, em vez de *venit rapĕre* ("vem roubar"), diz-se *venit raptum*. A terminação *-um* do supino acrescenta--se a um tema especial, diferente dos temas do presente e do perfeito. É preciso aprendermos também este terceiro tema, pois com ele se formam, além do supino, o particípio passado e o particípio futuro, que mais adiante estudaremos. De agora em diante, portanto, indicaremos também o supino ao lado das outras formas principais dos verbos; p.ex.: *rapĭo,-is,-ere, rapui, raptum*. A essas formas, que nos auxiliam a construir qualquer outra forma do verbo, dá-se o nome de tempos primitivos.

O verbo *sum* não tem supino.

§ 49. **O gerúndio.**

Em latim, o infinitivo só pode desempenhar as funções de sujeito, objeto direto e complemento predicativo; nas outras funções é substituído pelo *gerúndio*, um substantivo verbal, cujas terminações (*-ndum*, *-ndi* e *-ndo*) se acrescentam ao radical do presente. Assim teremos:

| | | |
|---|---|---|
| acusativo | (ad) am-*andum* | "para amar" |
| genitivo | am-*andi* | "de amar" |
| dativo | am-*ando* | "a amar" |
| ablativo | am-*ando* | "por amar" ou "amando" |

Os paradigmas das outras conjugações têm o gerúndio seguinte: *(ad) videndum*, etc.; *(ad) legendum*, etc.; *(ad) capiendum*, etc.; *(ad) audiendum*, etc. A prática nos ensinará a traduzir convenientemente os diversos casos do gerúndio. Alguns exemplos: *ars bene vivendi*, "a arte de bem viver"; *deliberando saepe perit occasĭo*, "deliberando [= enquanto se delibera] desaparece muitas vezes a ocasião", etc. O verbo *sum* não tem gerúndio.

## EXERCÍCIOS

1. Dar o supino de *vidĕo, habĕo, capto, scĭo*, com o auxílio do Léxico do fim do livro.

2. Formar o gerúndio de *rapĭo, ambŭlo, venĭo*.

3. Declinar: *oblivĭo, remedĭum utĭle*.

4. Traduzir por escrito as frases seguintes, vertendo o infinitivo pelo supino (por quê?):

    O aluno vem estudar à escola.

    O amigo veio ver a minha casa.

    As meninas corriam ao jardim (para) brincar.

5. Traduzir por escrito, utilizando o caso conveniente do gerúndio:

    Brincando sempre, ficarás um mau aluno.

    Os romanos ignoravam a arte de voar.

    Os agricultores trabalhavam cantando.

6. Explicar em português o sentido das quatro sentenças da leitura por meio de exemplos tomados na vida.

## XXIX — MONĬTA DAEDĂLI AD FILĬUM

Daedălus alas sĭbi et filĭo accommodavit. Tum filĭum verbis severis monŭit, ne alte volaret.

— Mi Icăre, ait, cautus esto! Vicinĭam solis vitato!

At Icărus, volandi cupĭdus, monĭta patris non exaudivit. Sed deinde paenitŭit puĕrum monĭta neglexisse et patri non paruisse.

## VOCABULÁRIO

| | |
|---|---|
| *sĭbi* (pron.) | a si |
| *accommŏdo, -as, -are, -avi, -atum* | adaptar, ajustar |

| | |
|---|---|
| *ne* (conj.) | para que não |
| *alte* (adv.) | alto |
| *cautus,-a,-um* | prudente |
| *vicinĭa,-ae* f. | proximidade, vizinhança |
| *sol,-is* m. | sol |
| *vito,-as,-are,-avi, atum* | evitar |
| *cupĭdus,-a,-um* | desejoso |
| *monĭtum,-i* n. | advertência |
| *exaudĭo,-is,-ire,-ivi,-itum* | prestar ouvido a, atender |
| *deinde* (adv.) | depois |
| *paenitŭit puĕrum* | o menino arrependeu-se de |

## GRAMÁTICA

§ 50. **O futuro do imperativo** serve para exprimir uma ordem que deverá ser cumprida futuramente. Este tempo, de uso bastante raro, só tem formas de 2ª e 3ª pessoa. Em português traduz-se pelas formas comuns do imperativo.

| | | I. | | II. | | III.a) | |
|---|---|---|---|---|---|---|---|
| **SINGULAR** | 2ª pessoa | ama-*to* | "ama" | vide-*to* | "vê" | leg-*ĭto* | "lê" |
| | 3ª pessoa | ama-*to* | "ame" | vide-*to* | "veja" | leg-*ĭto* | "leia" |
| **PLURAL** | 2ª pessoa | ama-*tote* | "amai" | vide-*tote* | "vede" | leg-*itote* | "lede" |
| | 3ª pessoa | ama-*nto* | "amem" | vide-*nto* | "vejam" | leg-*unto* | "leiam" |

|  |  | III.b) |  | IV. |  |
|---|---|---|---|---|---|
| SINGULAR | 2ª pessoa | capī-*to* | "prende" | audi-*to* | "ouve" |
|  | 3ª pessoa | capī-*to* | "prenda" | audi-*to* | "ouça" |
| PLURAL | 2ª pessoa | capi-*tote* | "prendei" | audi-*tote* | "ouvi" |
|  | 3ª pessoa | capi-*unto* | "prendam" | audi-*unto* | "ouçam" |

O futuro do imperativo de *sum* é o seguinte:

*esto*           "sê"
*esto*           "seja"
*estote*         "sede"
*sunto*          "sejam"

## § 51. O infinitivo perfeito forma-se do tema do perfeito com a terminação -*isse*.

amav-*isse*    vid-*isse*    leg-*isse*    cep-*isse*    audiv-*isse*
"ter amado"   "ter visto"   "ter lido"   "ter prendido"   "ter ouvido"

O infinitivo perfeito de *sum* é *fuisse*, "ter sido".

# EXERCÍCIOS

1. Formar o futuro do imperativo de *accommŏdo*, *neglĕgo*, *parĕo*.

2. Indicar o presente e o futuro do imperativo de *vito*.

3. Formar o infinitivo perfeito de *ambŭlo*, *timĕo*, *perĕo*.

4. Explicar a função das palavras *patris* na penúltima e *patri* na última frase.

5. Explicar a forma *volandi* na penúltima frase.

6. Traduzir por escrito:

Quando veio o dilúvio, os homens arrependeram-se (*paenitŭit*) de [não se traduz] não ter prestado ouvido às advertências de Júpiter.

Os bons alunos são desejosos de estudar.

# XXX — DE MORTE ICĂRI

Omnes, qui cursum homĭnum volantĭum videbant, obstupuerunt. Sed puer, audaci volatu gaudens, tam alte egit iter, ut radĭi solis ceram mollirent¹. Icărus in mare cecĭdit. Patrem paenitŭit artem volandi invenisse.

Sic perīit puer audax; at scimus memorĭam Icări nunquam perituram esse.

---

1  Traduzir pelo indicativo. V. nota do § 41.

## VOCABULÁRIO

| | |
|---|---|
| *mors, mortis* f. | morte |
| *cursus,-us* m. | corrida, voo, viagem |
| *obstupesco,-is,-ĕre, obstupŭi* | espantar-se, ficar maravilhado |
| *audax* (gen. *audacis*) | audacioso |
| *volatus,-us* m. | voo |
| *ago,-is,-ĕre,-egi, actum* | impelir, dirigir |
| *iter, itinĕris* n. | caminho |
| *radĭus, -ĭi* m. | raio |
| *mollĭo,-is,-ire,-ivi,-itum* | amolecer |
| *cado,-is,-ĕre, cecĭdi, casum* | cair |
| *memorĭa,-ae* f. | memória |
| *nunquam* (adv.) | nunca |
| *periturum esse* | que... há de perecer |

## GRAMÁTICA

### § 52. O particípio presente é um adjetivo da segunda classe.

O seu nominativo se forma do tema do presente, ao qual se acrescenta a terminação *-ns* (gen. *-ntis*) da maneira seguinte:

| I. | II. | III.a) |
|---|---|---|
| ama-*ns* (ama-*ntis*) | vide-*ns* (vide-*ntis*) | leg-*ens* (leg-*entis*) |
| "que ama" ou "amando" | "que vê" ou "vendo" | "que lê" ou "lendo" |

| III.b) | IV. |
|---|---|
| capĭ-*ens* (capi-*entis*) | audĭens (audi-*entis*) |
| "que prende" ou "prendendo" | "que ouve" ou "ouvindo" |

O particípio presente traduz-se ora por meio de oração subordinada relativa, *cursus homĭnum volantĭum* ("a viagem dos homens que voam"), ora por meio de adjetivo verbal: *cursus homĭnum volantĭum* ("a viagem dos homens voadores"), ora por meio de gerúndio: *puer audaci volatu gaudens* ("o menino, alegrando-se do voo audacioso").

O verbo *sum* não tem particípio presente.

§ 53. O particípio futuro forma-se com a terminação -*urus*, -*ura*, -*urum* acrescentada ao radical do supino, assim:

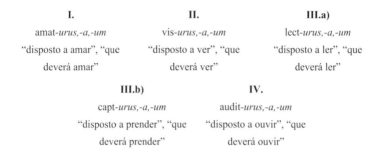

Exemplos do emprego do particípio futuro: *Ave Caesar, morituri te salutant* ("Salve, César, saúdam-te os que deverão morrer"); *Deucalĭon, popŭlos terrae renovaturus* ("Deucalião, disposto a renovar os povos da terra").

§ 54. O infinitivo futuro forma-se com o acusativo do particípio futuro e o infinitivo presente do verbo *sum*. Assim:

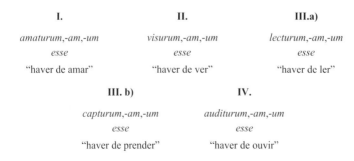

O infinitivo futuro de *sum* é *futurum,-am,-um esse*.

Exemplo: *Scimus memoriam Icări nunquam perituram esse*, "Sabemos a memória de Ícaro nunca haver de perecer", ou, em melhor português, "Sabemos que a memória de Ícaro nunca há de perecer".

Observe-se que este tempo sempre aparece em orações subordinadas integrantes. Assim p. ex. em *Scio te victurum esse* ("Sei que hás de vencer").

## EXERCÍCIOS

1. Formar o particípio presente de *ago, mollĭo, cado*.

2. Formar o particípio futuro dos mesmos verbos.

3. Declinar: *audax volatus*; *homo volans*.

4. Dizer em latim, traduzindo por particípios presentes as expressões sublinhadas:

    O aluno que estuda. Os professores que ensinam. Ícaro que cai no mar. Os pais que advertem os filhos.

5. Dizer em latim, traduzindo por particípios futuros as expressões sublinhadas:

    Os homens dispostos a voar não temem o sol. Os gladiadores que deverão morrer cumprimentam os romanos. Dédalo fez asas destinadas a voar.

6. Quem foi o brasileiro que, muitos séculos depois, aperfeiçoou a invenção de Dédalo?

# JOGOS DE VOCABULÁRIO

## 1. VOCABULÁRIO POR ASSUNTOS

Dar o equivalente português das palavras reunidas nos grupos abaixo, indicando de cada vez o genitivo singular e o gênero dos nomes, e os tempos primitivos dos verbos.

### A) A ÁGUA
*Aqua, flumen, unda, mare, diluvĭum, vastare, decrescĕre, rigare.*

### B) A TERRA
*Terra, ager, lapis, hortus, agricŏla, saxum, arare.*

### C) O CÉU
*Caelum, sol, radĭus, nubĭlus.*

### D) A RELIGIÃO
*Deus, dea, Jupĭter, ara, Themis, oracŭlum, lex, poena.*

### E) O TEMPO
*Tempus, aetas, dies, ver, aeternum.*

### F) O VOO
*Ala, volatus, penna, volare, ligare, cursus, cera.*

## 2. SINÔNIMOS

Procurar em cada um dos grupos abaixo três pares de sinônimos:

a) *lapis, sententĭa, volatus, cursus, saxum, praeceptum*;

b) *monere, diligĕre, obtemperare, parere, amare, admonere.*

## 3. ANTÔNIMOS

Procurar, entre as palavras seguintes, pares de antônimos:

*pax, accusare, secundus, bellum, tristis, laudare, palam, parva, secreto, magna.*

## 4. GRUPOS ETIMOLÓGICOS

As palavras de cada coluna vêm da mesma raiz. Explicar o sentido delas.

| a) | b) | c) | d) |
|---|---|---|---|
| *lego* | *vivĕre* | *amicus* | *rex* |
| *lectura* | *vita* | *amica* | *regina* |
| *elĕgo* | *vivendi* | *amicitĭa* | *regnare* |
| *neglĕgo* |  | *amare* |  |

## 5. ADVÉRBIOS

Dividir os advérbios da lista abaixo em três grupos: advérbios de lugar, de tempo e de modo:

*tum, tandem, frustra, ibi, palam, nunc, diu, ita, saepe, ubique, cito.*

## 6. CONJUNÇÕES

Exemplificar o sentido de cada uma das seguintes conjunções:

*ut, cum, ne, donec, si, nec, sed, et.*

## 7. PREPOSIÇÕES

Para mostrar que entendem o sentido e o emprego das preposições, façam seguir cada uma delas de um substantivo:

*in, per, post* (o substantivo vai para o acusativo);

*in, de, cum, sine, pro* (o substantivo vai para o ablativo).

# FRASES PARA COMPLETAR

1. Deem um verbo às frases seguintes:
   *Crimĭna homĭnum ... Iovem.*
   *Flumĭna domos ... .*
   *Mare et terra iam non ... discrimen.*

2. Deem um sujeito a estas:
   *... oracŭlum Themĭdis consulŭit.*
   *Pennis ... alas fecit.*
   *Iter altĭus egit ... .*

3. Estas carecem de objeto direto:
   *Deucalĭon ... post tergum iactavit.*
   *Daedălus ligavit ... cerā.*
   *... artĭfex monŭit ne alte volaret.*

4. Estas de objeto indireto:
   *Daedălus alas ... accommodavit.*
   *Iupĭter non ignoscebat ... .*
   *Aediles ... ludos faciebant.*

5. Às seguintes falta um adjunto adjetivo:
   *Daedălus pater ... erat.*
   *Radĭi ... ceram molliverunt.*
   *... remedĭum est oblivĭo.*

6. A estas acrescentem um adjunto adverbial:
   *Deucalĭon et Pyrrha oracŭlum diu ... volvebant.*
   *Lapĭdes ... iactaverunt.*
   *Pacem ..., bellum cum vitĭis habe.*

# JOGOS DE DECLINAÇÃO

**1.** Há casos de terminação igual na declinação do substantivo e do adjetivo em *par passus*? E em *res nova*?

**2.** Deem o nominativo singular dos seguintes nomes: *hominĭbus, viros, marĭa, agros, alarum, Iovi, Deucalione, Themĭdis, deorum, dearum.*

**3.** Indiquem o genitivo singular de: *mors, vicinĭa, volatus, oblivĭo, dictum, artĭfex, lapis.*

**4.** Indiquem o acusativo plural de: *os, domus, campus, flumen, dies, usus, aetas, genu.*

**5.** Em que declinações se encontra a terminação *-is* e quais os casos que ela pode indicar?

**6.** E a terminação *-i*?

**7.** Qual é a declinação que abrange o menor número de substantivos?

**8.** Quais as declinações que não abrangem adjetivos?

**9.** Qual é o nome cujos casos seguem em parte a II e em parte a IV declinação?

**10.** Conhecem algum substantivo latino que não se empregue no plural?

# JOGOS DE CONJUGAÇÃO

**1.** Separem as formas do indicativo entre as formas seguintes: *accusabam, accusaret, accusant, accuset, accusavĕrim, accusavĕrit.*

**2.** Aqui procurem as formas do subjuntivo: *dat, det, dabit, daremus, dedissem, date, des, dare, dederĭtis.*

**3.** Aqui as do imperativo: *vĕni, veni, venĭat, venĭet, venit, venite, venito, venĭunt.*

**4.** Separem neste grupo as formas do singular: *habeto, habete, habe, habuĕris, habetis, habeamus, habĕat, habĕant, habuissetis, habebĭmus.*

**5.** Aqui as do plural: *pono, posuisti, ponunt, ponat, ponent, ponĭte, ponĭto, posuissemus, posuisses.*

**6.** Dizer quantos infinitivos há entre as seguintes palavras: *tacerem, monere, habuisset, amavisse, cepere, esse, fuissem, audire.*

**7.** Expliquem o tempo e o modo das seguintes formas: *scribo, scripsisti, scripsĕrit, scribendi, scripturum, scripturum esse, scribens.*

**8.** Procurem as formas da 2ª pessoa neste grupo:

*manet, manemus, manes, manebis, manebĭmus, manere, maneres, mansistis, mansisset, manes, manserĭtis, manetote, manebamus, mane.*

**9.** Neste as da 3ª:

*custodi, custodĭam, custodĭant, custodirem, custodivisse, custodito, custodiendi, custodivĕrint, custodiendo.*

**10.** Aqui as da 1ª:

*fugĭi, fugĭam, fugiendo, fugituram, fugiemus, fugiebatis, fugituro, fugisse, fugĭto, fugiunto, fugĕro, fugiremus.*

**11.** Dizer quantas formas deste grupo pertencem ao futuro: *invenĭas, invenĭam, inveniebam, invenirent, invenito, invenĭens, inveni, inventurus, invenerunt, inventurum esse.*

**12.** Quais os dois tempos a que pode pertencer *vivam*? E *vixerĭmus*?

# QUEBRA-CABEÇAS

**1.** O número dos tempos do subjuntivo é menor do que o dos tempos do indicativo. Explicar por quê.

**2.** Qual é o caso que falta ao gerúndio?

**3.** Ao lado de quais verbos se emprega o supino terminado em -*um*?

**4.** A que classe de adjetivos pertence o particípio presente?

**5.** Quais são os tempos primitivos?

**6.** Como se traduz em português o particípio presente?

**7.** Que exprime o futuro do imperativo?

**8.** Quais são os substantivos verbais que substituem o infinitivo em certos casos?

**9.** Qual é o tempo que substitui o imperativo nas orações proibitivas?

**10.** Quais são os tempos que faltam ao verbo *sum*?

# QUADRO SINÓPTICO DA VOZ ATIVA DAS

| I. | II. | III.a) | III.b) | IV. |
|---|---|---|---|---|
| | PRESENTE DO INDICATIVO |||||
| am-*o* | vide-*o* | lĕg-*o* | capĭ-*o* | audĭ-*o* |
| ama-*s* | vide-*s* | lĕg-*is* | capi-*s* | audi-*s* |
| ama-*t* | vide-*t* | lĕg-*it* | capi-*t* | audi-*t* |
| ama-*mus* | vide-*mus* | lĕg-*ĭmus* | capĭ-*mus* | audi-*mus* |
| ama-*tis* | vide-*tis* | lĕg-*ĭtis* | capĭ-*tis* | audi-*tis* |
| ama-*nt* | vide-*nt* | lĕg-*unt* | capĭ-*unt* | audi-*unt* |
| | IMPERFEITO DO INDICATIVO |||||
| ama-*bam* | vide-*bam* | lĕg-*ebam* | capi-*ebam* | audi-*ebam* |
| ama-*bas* | vide-*bas* | lĕg-*ebas* | capi-*ebas* | audi-*ebas* |
| ama-*bat* | vide-*bat* | lĕg-*ebat* | capi-*ebat* | audi-*ebat* |
| ama-*bamus* | vide-*bamus* | lĕg-*ebamus* | capi-*ebamus* | audi-*ebamus* |
| ama-*batis* | vide-*batis* | lĕg-*ebatis* | capi-*ebatis* | audi-*ebatis* |
| ama-*bant* | vide-*bant* | lĕg-*ebant* | capi-*ebant* | audi-*ebant* |
| | FUTURO DO INDICATIVO |||||
| ama-*bo* | vide-*bo* | lĕg-*am* | capĭ-*am* | audĭ-*am* |
| ama-*bis* | vide-*bis* | lĕg-*es* | capĭ-*es* | audĭ-*es* |
| ama-*bit* | vide-*bit* | lĕg-*et* | capĭ-*et* | audĭ-*et* |
| ama-*bĭmus* | vide-*bĭmus* | lĕg-*emus* | capi-*emus* | audi-*emus* |
| ama-*bĭtis* | vide-*bĭtis* | lĕg-*etis* | capi-*etis* | audi-*etis* |
| ama-*bunt* | vide-*bunt* | lĕg-*ent* | capĭ-*ent* | audĭ-*ent* |
| | PRETÉRITO PERFEITO DO INDICATIVO |||||
| amav-*i* | vid-*i* | leg-*i* | cep-*i* | audiv-*i* |
| amav-*isti* | vid-*isti* | leg-*isti* | cep-*isti* | audiv-*isti* |
| amav-*it* | vid-*it* | leg-*it* | cep-*it* | audiv-*it* |
| amav-*ĭmus* | vid-*ĭmus* | leg-*ĭmus* | cep-*ĭmus* | audiv-*ĭmus* |
| amav-*istis* | vid-*istis* | leg-*istis* | cep-*istis* | audiv-*istis* |
| amav-*erunt* ou *-ere* | vid-*erunt* ou *-ere* | leg-*erunt* ou *-ere* | cep-*erunt* ou *-ere* | audiv-*erunt* ou *-ere* |

# CONJUGAÇÕES REGULARES

| I. | II. | III.a) | III.b) | IV. |
|---|---|---|---|---|
| **PRETÉRITO MAIS-QUE-PERFEITO DO INDICATIVO** ||||||
| amav-ĕram | vid-ĕram | leg-ĕram | cep-ĕram | audiv-ĕram |
| amav-ĕras | vid-ĕras | leg-ĕras | cep-ĕras | audiv-ĕras |
| amav-ĕrat | vid-ĕrat | leg-ĕrat | cep-ĕrat | audiv-ĕrat |
| amav-eramus | vid-eramus | leg-eramus | cep-eramus | audiv-eramus |
| amav-eratis | vid-eratis | leg-eratis | cep-eratis | audiv-eratis |
| amav-ĕrant | vid-ĕrant | leg-ĕrant | cep-ĕrant | audiv-ĕrant |
| **FUTURO PERFEITO DO INDICATIVO** |||||
| amav-ĕro | vid-ĕro | leg-ĕro | cep-ĕro | audiv-ĕro |
| amav-ĕris | vid-ĕris | leg-ĕris | cep-ĕris | audiv-ĕris |
| amav-ĕrit | vid-ĕrit | leg-ĕrit | cep-ĕrit | audiv-ĕrit |
| amav-erĭmus | vid-erĭmus | leg-erĭmus | cep-erĭmus | audiv-erĭmus |
| amav-erĭtis | vid-erĭtis | leg-erĭtis | cep-erĭts | audiv-erĭtis |
| amav-ĕrint | vid-ĕrint | leg-erint | cep-ĕrint | audiv-ĕrint |
| **PARTÍCIPIO PRESENTE** |||||
| ama-ns | vide-ns | lĕg-ens | capĭ-ens | audĭ-ens |
| **PARTICÍPIO FUTURO** |||||
| amat-urus | vis-urus | lect-urus | capĭ-urus | audit-urus |
| **GERÚNDIO** |||||
| ad am-andum etc. | ad vid-endum etc. | ad lĕg-endum etc. | ad capi-endum etc. | ad audi-endum etc. |
| **SUPINO** |||||
| amat-um | vis-um | lect-um | capt-um | audit-um |

# QUADRO SINÓPTICO DA VOZ ATIVA DAS

| I. | II. | III.a) | III.b) | IV. |
|---|---|---|---|---|
| **PRESENTE DO SUBJUNTIVO** ||||| 
| ame-*m* | vidĕ-*am* | lĕg-*am* | capĭ-*am* | audĭ-*am* |
| ame-*s* | vidĕ-*as* | lĕg-*as* | capĭ-*as* | audĭ-*as* |
| ame-*t* | vide-*at* | lĕg-*at* | capĭ-*at* | audĭ-*at* |
| ame-*mus* | vide-*amus* | lĕg-*amus* | capi-*amus* | audi-*amus* |
| ame-*tis* | vide-*atis* | lĕg-*atis* | capi-*atis* | audi-*atis* |
| ame-*nt* | vidĕ-*ant* | lĕg-*ant* | capĭ-*ant* | audĭ-*ant* |
| **IMPERFEITO DO SUBJUNTIVO** |||||
| amare-*m* | videre-*m* | lĕgĕre-*m* | capĕre-*m* | audire-*m* |
| amare-*s* | videre-*s* | lĕgĕre-*s* | capĕre-*s* | audire-*s* |
| amare-*t* | videre-*t* | lĕgĕre-*t* | capĕre-*t* | audire-*t* |
| amare-*mus* | videre-*mus* | lĕgĕre-*mus* | capĕre-*mus* | audire-*mus* |
| amare-*tis* | videre-*tis* | lĕgĕre-*tis* | capĕre-*tis* | audire-*tis* |
| amare-*nt* | videre-*nt* | lĕgĕre-*nt* | capĕre-*nt* | audire-*nt* |
| **PRETÉRITO PERFEITO DO SUBJUNTIVO** |||||
| amav-*ĕrim* | vid-*ĕrim* | leg-*ĕrim* | cep-*ĕrim* | audiv-*ĕrim* |
| amav-*ĕris* | vid-*ĕris* | leg-*ĕris* | cep-*ĕris* | audiv-*ĕris* |
| amav-*ĕrit* | vid-*ĕrit* | leg-*ĕrit* | cep-*ĕrit* | audiv-*ĕrit* |
| amav-*erĭmus* | vid-*erĭmus* | leg-*erĭmus* | cep-*erĭmus* | audiv-*erĭmus* |
| amav-*erĭtis* | vid-*erĭtis* | leg-*erĭtis* | cep-*erĭtis* | audiv-*erĭtis* |
| amav-*ĕrint* | vid-*ĕrint* | leg-*ĕrint* | cep-*ĕrint* | audiv-*ĕrint* |
| **PRETÉRITO MAIS-QUE-PERFEITO DO SUBJUNTIVO** |||||
| amav-*issem* | vid-*issem* | leg-*issem* | cep-*issem* | audiv-*issem* |
| amav-*isses* | vid-*isses* | leg-*isses* | cep-*isses* | audiv-*isses* |
| amav-*isset* | vid-*isset* | leg-*isset* | cep-*isset* | audiv-*isset* |
| amav-*issemus* | vid-*issemus* | leg-*issemus* | cep-*issemus* | audiv-*issemus* |
| amav-*issetis* | vid-*issetis* | leg-*issetis* | cep-*issetis* | audiv-*issetis* |
| amav-*issent* | vid-*issent* | leg-*issent* | cep-*issent* | audiv-*issent* |

# CONJUGAÇÕES REGULARES (Continuação)

| I. | II. | III.a) | III.b) | IV. |
|---|---|---|---|---|
| \multicolumn{5}{c}{**PRESENTE DO IMPERATIVO**} |
| ama | vide | lĕge | cape | audi |
| ama-*te* | vide-*te* | lĕg-*īte* | capĭ-*te* | audi-*te* |
| \multicolumn{5}{c}{**FUTURO DO IMPERATIVO**} |
| ama-*to* | vide-*to* | lĕg-*ĭto* | capĭ-*ito* | audi-*to* |
| ama-*to* | vide-*to* | lĕg-*ĭto* | capĭ-*to* | audi-*to* |
| ama-*tote* | vide-*tote* | lĕg-*itote* | capi-*tote* | audi-*tote* |
| ama-*nto* | vide-*nto* | lĕg-*unto* | capi-*unt* | audi-*unto* |
| \multicolumn{5}{c}{**INFINITIVO PRESENTE**} |
| ama-*re* | vide-*re* | lĕg-*ĕre* | cap-*ĕre* | audi-*re* |
| \multicolumn{5}{c}{**INFINITIVO PERFEITO**} |
| amav-*isse* | vid-*isse* | leg-*isse* | cep-*isse* | audiv-*isse* |
| \multicolumn{5}{c}{**INFINITO FUTURO**} |
| amaturum, -am, -um amaturos, -as, -a ] ESSE | visurum, -am, -um visuros, -as, -a ] ESSE | lecturum, -am, -um lecturos, -as, -a ] ESSE | capturum, -am, -um capturos, -as, -a ] ESSE | auditurum, -am, -um audituros, -as, -a ] ESSE |

# LÉXICO LATINO-PORTUGUÊS

Abreviaturas empregadas:

| | |
|---|---|
| *abl.* | ablativo |
| *ac.* | acusativo |
| *adv.* | advérbio |
| *cf.* | confira |
| *comp.* | comparativo |
| *conj.* | conjunção |
| *dat.* | dativo |
| *def.* | defectivo |
| *f.* | feminino |
| *gen.* | genitivo |
| *imp.* | imperativo |
| *impess.* | impessoal |
| *ind.* | indicativo |
| *indecl.* | indeclinável |
| *interj.* | interjeição |
| *m.* | masculino |
| *n.* | neutro |
| *nom.* | nominativo |
| *p.* | pessoa |
| *part.* | particípio |
| *pass.* | passado |
| *perf.* | perfeito |
| *pl.* | plural |
| *prep.* | preposição |
| *pres.* | presente |
| *pron.* | pronome |
| *s.* | sum |
| *sing.* | singular |
| *sup.* | superlativo |
| *tr.* | transitivo |
| *v.* | ver |
| *voc.* | vocativo |

# A

***absum, abes, abesse, afŭi***
estar ausente

***accipĭo, -is, -ĕre, -cepi, -ceptum***
receber, sofrer

***accommŏdo, -as, -are, -avi, -atum***
adaptar, ajustar

***accurro, -is, -ĕre, -i, accursum***
acorrer

***accuso, -as, -are, -avi, -atum***
acusar

***acer, acris, acre***
violento, cruel

***acutus, -a, -um***
agudo, perspicaz

***ad***
(prep. de ac.) para, até

***adhibĕo, -es, -ere, -ŭi, -ĭtum***
aplicar

***admonĕo, -es, -ere, -monŭi, -ĭtum***
admoestar, advertir

***advŏlo, -as, -are, -avi, -atum***
voar em direção a, voar para dentro

***aedilis, -is***
(m.) edil (funcionário romano)

***aeger, aegra, aegrum***
doente

***aegroto, -as, -are, -avi, -atum***
estar doente

***aetas, -atis***
(f.) idade

***aeternus, -a, -um***
eterno

***ager, agri***
(m.) campo

***ago, -is, -ĕre, egi, actum***
agir, fazer; impelir, dirigir

***agricŏla, -ae***
(m.) lavrador, agricultor

***aio, ais***
(def.) afirmar, dizer

***ala, -ae***
(f.) asa

***albus, -a, -um***
branco

***alĕa, -ae***
(f.) jogo (de dados)

***alĭquid***
algo

***alte***
(adv.) alto

***alter, altĕra, altĕrum***
um (de dois); (o) outro

***altĭus***
(adv.) mais alto

***altus, -a, -um***
alto

***ambo***
ambos

***ambŭlo, -as, -are, -avi, -atum***
passear, andar

***amica, -ae***
(f.) amiga

***amicitĭa, -ae***
(f.) amizade

***amicus, -i***
(m.) amigo

***amitto, -is, -ĕre, -misi, amissum***
perder

***amo, -as, -are, -avi, -atum***
amar; gostar de, estimar

***anĭmal, -alis***
(n.) animal

***anĭmus, -i***
(m.) espírito

*Anna, -ae*
(f.) Ana

*Apelles, -is*
(m.) Apeles (célebre pintor)

*apertus, -a, -um*
aberto

*aqua, -ae*
(f.) água

*aquĭla, -ae*
(f.) águia

*ara, -ae*
(f.) ara, altar

*aranĕa, -ae*
(f.) aranha

*arator, -oris*
(m.) lavrador

*arena, -ae*
(f.) arena

*aro, -as, -are, -avi, -atum*
lavrar, cultivar

*ars, artis*
(f.) profissão; arte

*artĭfex, -fĭcis*
(m.) artífice

*at*
(conj.) mas

*atrox*
(gen. *atrocis*) atroz, terrível

*audax*
(gen. *audacis*) audacioso

*audĭo, -is, -ire, -ivi, -itum*
ouvir

*Aulus, -i*
(m.) Aulo

*aurĕus, -a, -um*
áureo, de ouro

*autem*
(conj.) porém; por outro lado; por sua vez

*avarus, -a, -um*
avarento

*ave!*
(interj.) bom dia! salve!

*avicŭla, -ae*
(f.) passarinho

# B

*bellum, -i*
(n.) guerra

*bene*
(adv.) bem

*bestĭa, -ae*
(f.) animal

*bestĭŏla, -ae*
(f.) inseto

*bonum, -i*
(n.) o bem

*bonus, -a, -um*
bom

# C

*cado, -is, -ĕre, cecĭdi, casum*
cair

*caecus, -a, -um*
cego

*caelum, -i*
(n.) céu

*Caesar, Caesăris*
(m.) César (título dado aos imperadores romanos)

*calcĕus, -i*
(m.) calçado, sapato

*campus, -i*
(m.) campo, planície

*canto, -as, -are, -avi, -atum*
cantar

*cantus, cantus*
(m.) canto

*capĭo, -is, -ĕre, cepi, captum*
prender, tomar

*capto, -as, -are, -avi, -atum*
procurar, apanhar, tomar

*castigo, -as, -are, -avi, -atum*
castigar

*causidĭcus, -i*
(m.) advogado, causídico

*cautus, -a, -um*
cauteloso, prudente

*cavĕo, -es, -ere, cavi, cautum*
tomar cuidado

*celĕber, celĕbris, celĕbre*
célebre

*celer, celĕris, celĕre*
veloz

*cena, -ae*
(f.) ceia, jantar

*circenses, -ĭum*
(m. pl.) os jogos circenses

*circensis, -e*
do circo

*circus, -i*
(m.) circo

*civis, -is*
(m.) cidadão; compatriota

*cito*
(adv.) depressa; facilmente

*clarus, -a, -um*
famoso

*cogĭto, -as, -are, -avi, -atum*
cogitar, pensar, meditar

*collega, -ae*
(m.) colega

*colloquĭum, -ĭi*
(n.) colóquio, conversação

*colo, -is, -ĕre, -ŭi, cultum*
cultivar, praticar

*comĭter*
(adv.) delicadamente, afavelmente

*confirmo, -as, -are, -avi, -atum*
encorajar, animar

*considero, -as, -are, -avi, -atum*
considerar

*consido, -is, -ĕre, -sedi, -sessum*
reunir-se

*consilĭum, -ĭi*
(n.) conselho

*consŭlo, -is, -ĕre, -ŭi, -tum*
consultar

*contentus, -a, -um*
contente

*conviva, -ae*
(m. e f.) convidado

*cor, cordis*
(n.) coração

*cornu, -us*
(n.) chifre; corneta

*corona, -ae*
(f.) coroa

*corpus, -ŏris*
(n.) corpo

*corripĭo, -is, -ĕre, -ripŭi, -reptum*
agarrar

*cras*
(adv.) amanhã

*crimen, -ĭnis*
(n.) crime

*crudelis, -e*
cruel

*cum[1]*
(conj.) quando

*cum²*
(prep. de abl.) com

*cupĭdus, -a, -um*
desejoso

*Curĭa, -ae*
(f.) Cúria (lugar onde se reunia o senado)

*curiosus, -a, -um*
curioso

*curo, -as, -are, -avi, -atum*
cuidar de

*curro, -is, -ĕre, cucurri, cursum*
correr

*cursus, -us*
(m.) corrida, voo

*custodĭo, -is, -ire, -ivi, -itum*
guardar, conservar

# D

*Daedălus, -i*
(m.) Dédalo

*de*
(prep. de abl.) de; acerca de

*dea, -ae*
(f.) deusa

*decerno, -is, -ĕre, -crevi, -cretum*
decidir; decretar, atribuir

*decresco, -is, -ĕre, -crevi, -cretum*
decrescer, baixar

*deinde*
(adv.) depois

*delecto, -as, -are, -avi, -atum*
deleitar

*delibĕro, -as, -are, -avi, -atum*
deliberar

*descendo, -is, -ĕre, -di, -sum*
descer

*describo, -is, -ĕre, -scripsi, -scriptum*
copiar; dividir, repartir

*destrŭo, -is, -ĕre, -xi, -ctum*
destruir

*Deucalĭon, -onis*
(m.) Deucalião

*deus, -i*
(m.) deus

*dico, -is, -ĕre, dixi, dictum*
dizer

*dicto, -as, -are, -avi, -atum*
ditar; ensinar

*dictum, -i*
(n.) dito, sentença

*dies, -ei*
(m. ou f.) dia

*diligenter*
(adv.) assiduamente

*diligentĭa, -ae*
(f.) zelo, diligência

*dilĭgo, -is, -ĕre, -lexi, -lectum*
amar, gostar de

*diluvĭum, -ĭi*
(n.) dilúvio

*discipŭla, -ae*
(f.) discípula, aluna

*discipŭlus, -i*
(m.) discípulo, aluno

*disco, -is, -ĕre, didici*
aprender

*discrimen, -ĭnis*
(n.) diferença

*diserte*
(adv.) eloquentemente, com acerto

*diu*
(adv.) durante muito tempo

*divum, -i*
(n.) céu, ar; *sub divo* ao ar livre

*do, das, dăre, dĕdi, datum*
dar

*docĕo, -es, -ĕre, -ŭi, -tum*
ensinar

*dolor, -oris*
(m.) dor

*domĭna, -ae*
(f.) senhora

*domĭnus, -i*
(m.) senhor

*domus, -us*
(f.) casa

*donec*
(conj.) enquanto

*dono, -as, -are, -avi, -atum*
dar

*donum, -i*
(n.) presente, dom; *dono dare* dar de presente

*dormĭo, -is, -ire, -ivi, -itum*
dormir

*Drusilla, -ae*
(f.) Drusila (nome de mulher)

*duae*
cf. DUO

*duco, -is, -ĕre, duxi, ductum*
conduzir; tomar

*dum*
(conj.) enquanto

*duo, duae, duo*
dois, duas

# E

*e* ou *ex*
(prep. de abl.) de; do lado de; por

*ecce*
(interj.) eis; eis aqui

*edo, -is, -ĕre, edi, esum*
comer

*edŭco, -as, -are, -avi, -atum*
educar

*elĭgo, -is, -ĕre, elegi, electum*
escolher, eleger

*enim*
(conj.) de fato

*ensis, -is*
(m.) espada

*enumĕro, -as, -are, -avi, -atum*
enumerar

*ergo*
(conj.) portanto

*ero, eris, erit*
cf. SUM

*est, estis*
cf. SUM

*esurĭo, -is, -ire, -ivi, -itum*
estar com fome, passar fome

*et*
(conj.) também: *et ... et* tanto ... como

*etĭam*
(conj.) também; mesmo

*exaspĕro, -as, -are, -avi, -atum*
irritar, exasperar

*exaudĭo, -is, -ire, -ivi, -itum*
prestar ouvido a, atender

*exemplar, -aris*
(n.) exemplar

*exemplum, -i*
(n.) exemplo

*exercĭtus, -us*
(m.) exército

*explĭco, -as, -are, -avi* ou *-ŭi, -atum* ou *-itum*
explicar

*exspecto, -as, -are, -avi, -atum*
esperar, aguardar

# F

***fabŭla, -ae***
(f.) fábula

***facĭo, -is, -ĕre, feci, factum***
fazer; cometer; organizar

***fama, -ae***
(f.) fama

***felicĭtas, -atis***
(f.) felicidade

***felix***
(gen. *felicis*) feliz

***femĭna, -ae***
(f.) mulher

***fenestra, -ae***
(f.) janela

***fides, -ei***
(f.) fé

***filĭa, -ae***
(f.) filha

***filĭus, -ĭi***
(m.) filho

***flavus, -a, -um***
amarelo

***flumen, -ĭnis***
(n.) rio

***forma, -ae***
(f.) forma

***fortis, -e***
forte

***forum, -i***
(n.) foro, praça pública

***frequenter***
(adv.) frequentemente

***frequento, -as, -are, -avi, -atum***
frequentar

***frustra***
(adv.) em vão

***fugĭo, -is, -ĕre, fugi, fugĭtum***
fugir, evitar

# G

***gaudĕo, -es, -ere, gavisus sum***
(com abl.) alegrar-se com

***gener, -ĕri***
(m.) genro

***genus, -ĕris***
(n.) gênero

***gladiator, -oris***
(m.) gladiador

***gradus, -us***
(m.) degrau

***gravĭor***
comp. de GRAVIS

***gravis, -e***
grave

# H

***habĕo, -es, -ere, -ŭi, -ĭtum***
ter, possuir

***habĭto, -as, -are, -avi, -atum***
habitar

***heri***
(adv.) ontem

***hic[1], haec, hoc***
este, esta, isto

***hic[2]***
(adv.) aqui

***historĭa, -ae***
(f.) história

***hodĭe***
(adv.) hoje

***hodiernus, -a, -um***
de hoje

*homo, -ĭnis*
(m.) homem

*hortus, -i*
(m.) jardim

*humanus, -a, -um*
humano

# I

*iacto, -as, -are, -avi, -atum*
lançar, jogar, atirar

*ibi*
(adv.) aí

*Icărus, -i*
(m.) Ícaro (filho de Dédalo)

*iděo*
(adv.) por isso

*ignoro, -as, -are, -avi, -atum*
ignorar

*ignosco, -is, -ěre, ignovi, -otum*
perdoar

*ille, -a, -ud*
aquele, aquela, aquilo

*impěro, -as, -are, -avi, -atum*
mandar, ordenar

*imprudentĭa, -ae*
(f.) imprudência

*in*
(prep. de abl.) em; entre; (prep. de ac.) em; para com; contra

*incĭdo, -is, -ěre, -cidi*
cair

*includo, -is, -ěre, -clusi, -clusum*
encerrar, fechar

*infelicĭtas, -atis*
(f.) infelicidade

*iniurĭa, -ae*
(f.) injustiça, ofensa

*insŭla, -ae*
(f.) ilha

*intellěgo, -is, -ěre, -lexi, -lectum*
entender, compreender

*inter*
(prep. de ac.) entre

*invěnĭo, -is, -ire, -veni, -ventum*
encontrar; descobrir; inventar

*ipse, -a, -um*
(eu, tu, ele) mesmo

*irrito, -as, -are, -avi, -atum*
irritar, excitar

*ita*
(adv.) assim; de tal maneira

*iter, itiněris*
(n.) caminho

*Iulĭa, -ae*
(f.) Júlia

*Iupĭter, Iovis*
(m.) Júpiter (rei dos deuses)

*iustus, -a, -um*
justo

# L

*laboro, -as, -are, -avi, -atum*
trabalhar

*laetus, -a, -um*
alegre

*lapis, -ĭdis*
(m.) pedra

*laudo, -as, -are, -avi, -atum*
louvar, elogiar

*lěgo, -is, -ěre, legi, lectum*
ler, eleger

*leo, -onis*
(m.) leão

*lex, legis*
(f.) lei

*libenter*
(adv.) de boa vontade

*liber, -bri*
(m.) livro

*liber, -era, -ĕrum*
livre

*libĕri, -orum*
(m. pl.) filhos

*ligo, -as, -are, -avi, -atum*
ligar

*lilĭum, -ĭi*
(n.) lírio

*linĕa, -ae*
(f.) linha, traço

*Livĭa, -ae*
(f.) Lívia

*locŭples*
(gen. *locupletis*) rico

*Lucilla, -ae*
(f.) Lucila

*Lucĭus, -ĭi*
(m.) Lúcio

*Lucretĭa, -ae*
(f.) Lucrécia

*ludo, -is, -ĕre, lusi, lusum*
brincar

*ludus, -i*
(m.) jogo

# M

*macte!*
(interj.) coragem!

*magister, -tri*
(m.) mestre, professor

*magistra, -ae*
(f.) mestra, professora

*magnus, -a, -um*
grande

*malus, -a, -um*
mau

*manĕo, -es, -ere, -si, -sum*
ficar; aguardar

*manus, -us*
(f.) mão

*mare, maris*
(n.) mar

*maritus, -i*
(m.) marido

*mater, -tris*
(f.) mãe

*mature*
(adv.) cedo

*medĭcus, -i*
(m.) médico

*melĭor, -ĭus*
comp. de BONUS

*memorĭa, -ae*
(f.) memória

*mensa, -ae*
(f.) mesa

*metus, -us*
(m.) medo, receio

*meus, -a, -um*
meu, minha

*mihi*
(pron.) me, a mim

*miles, ĭtis*
(m.) soldado

*Minos, -ois*
(m.) Minos (rei de Creta)

*mirus, -a, -um*
admirável

*miser, misĕra, misĕrum*
miserável

*misĕre*
miseravelmente

*mitto, -is, -ĕre, misi, missum*
mandar, enviar

*modus, -i*
(m.) modo, maneira

*mollĭo, -is, -ire, -ivi, -itum*
amolecer

*monĕo, -es, -ĕre, -ŭi, -ĭtum*
admoestar, advertir

*monĭtum, -i*
(n.) advertência

*morbus, -i*
(m.) doença

*moriturus, -a, -um*
que vai morrer

*mors, mortis*
(f.) morte

*movĕo, -es, -ere, movi, motum*
comover; preocupar

*mulĭer, -ĕris*
(f.) mulher

*multus, -a, -um*
muito

*musca, -ae*
(f.) mosca

# N

*narcissus, -i*
(m.) narciso

*narro, -as, -are, -avi, -atum*
narrar, contar

*nato, -as, -are, -avi, -atum*
nadar

*nauta, -ae*
(m.) marinheiro, nauta

*navĭgo, -as, -are, -avi, -atum*
navegar

*navĭta, -ae*
(m.) o mesmo que NAUTA

*ne*
(adv.) não; (conj.) que não; para que não; *ne... quidem* nem sequer

*nec*
(conj.) nem

*neglĕgo, -is, -ĕre, -lexi, -lectum*
desprezar

*nemo, -ĭnis*
(m.) ninguém

*nihil*
nada

*non*
(adv.) não

*nos*
(pron.) nós, nos

*noster, -tra, -trum*
nosso

*novus, -a, -um*
novo

*nox, noctis*
(f.) noite

*nubes, -is*
(f.) nuvem

*nubĭla, -orum*
(n.) nuvens

*nubĭlus, -a, -um*
nebuloso, nublado

*nullus, -a, -um*
nenhum

*numĕro, -as, -are, -avi, -atum*
contar

*nunc*
(adv.) agora

*nunquam*
(adv.) nunca

*nutrĭo, -is, -ire, -ivi, -itum*
nutrir

# O

*oblivĭo, -onis*
(f.) esquecimento

*observo, -as, -are, -avi, -atum*
observar, cumprir

*obstupesco, -is, -ĕre, obstupŭi*
espantar-se, ficar maravilhado

*obtempĕro, -as, -are, -avi, -atum*
obedecer

*occasĭo, -onis*
(f.) ocasião

*ocŭlus, -i*
(m.) olho

*olim*
(adv.) um dia

*omnis, -e*
todo

*optĭme*
(adv.) muito bem

*optĭmus, -a, -um*
sup. de BONUS

*opulentus, -a, -um*
rico, opulento

*oracŭlum, -i*
(n.) oráculo

**Orbilĭus Pupillus**
(gen. *Orbilĭi Pupilli*) Orbílio Pupilo
(professor romano)

*ordo, -ĭnis*
(m.) ordem

*orno, -as, -are, -avi, -atum*
ornar, enfeitar

*os, ossis*
(n.) osso

*ostendo, -is, -ĕre, -di, -tum*
mostrar

**Ovidĭus Naso**
(gen. *Ovidĭi Nasonis*) Ovídio Nasão
(famoso poeta romano)

*ovis, -is*
(f.) ovelha

# P

*paenĭtet, -ere, -ŭit*
(impess.) arrepender-se. (O nome da pessoa que se arrepende vai para o acusativo.)

*palam*
(adv.) publicamente

*panis, -is*
(m.) pão

*par*
(gen. *paris*) igual

*parens, -entis*
(m.) pai; (f.) mãe; parentes (pl. m.) pais, parentes

*parĕo, -es, -ere, -ŭi*
obedecer

*paro, -as, -are, -avi, -atum*
preparar; arranjar, obter

*parum*
(adv.) pouco

*parvus, -a, -um*
pequeno

*passus, -us*
(m.) passo

*pastor, -oris*
(m.) pastor

*pater, -tris*
(m.) pai; (pl.) senadores

*patrĭa, -ae*
(f.) pátria

*pauper*
(gen. *paupĕris*) pobre

*pax, pacis*
(f.) paz

*pecunĭa, -ae*
(f.) dinheiro

*penna, -ae*
(f.) pena

*per*
(prep. de ac.) através de; por

*percurro, -is, -ĕre, -curri, -cursum*
percorrer

*perĕo, -is, -ire, -ĭi, -ĭtum*
perecer, desaparecer; perder-se

*peto, -is, -ĕre, -ivi, -itum*
pedir

*piger, -gra, -grum*
preguiçoso

*pila, -ae*
(f.) bola

*pirus, -i*
(f.) pereira

*pistor, -oris*
(m.) padeiro

*placĕo, -es, -ere, -ŭi, -ĭtum*
agradar

*placŭit*
(impess.) foi resolvido

*plagosus, -a, -um*
espancador

*planta, -ae*
(f.) planta

*poena, -ae*
(f.) castigo

*poëta, -ae*
(m.) poeta

*pollex, -ĭcis*
(m.) polegar

*pono, -is, -ĕre, posŭi, posĭtum*
pôr, colocar

*popŭlus, -i*
(m.) povo

*posco, -is, -ĕre, poposci*
exigir

*post¹*
(adv.) depois

*post²*
(prep. de ac.) atrás de

*postĕa*
(adv.) em seguida, depois

*praeceptum, -i*
(n.) preceito, recomendação

*primus, -a, -um*
primeiro

*pro*
(prep. de abl.) por; em vez de

*probo, -as, -are, -avi, -atum*
experimentar

*probus, -a, -um*
bom, honrado

*propter*
(prep. de ac.) por causa de

*proverbĭum, -ĭi*
(n.) provérbio

**Publilĭus Syrus**
(gen. *Publitĭi Syri;* m.) Publílio Siro
(escritor romano)

*puella, -ae*
(f.) menina

*puer, -ĕri*
(m.) menino

*pugna, -ae*
(f). combate

*pugno, -as, -are, -atum*
combater

*pulcher, -chra, -chrum*
bonito

*pupa, -ae*
(f.) boneca

*Pyrrha, -ae*
Pirra (esposa de Deucalião)

# Q

*quam¹*
(adv.) quanto, quão

*quam²*
(conj.) do que

*-que*
(conj.) e

*qui, quae, quod*
(pron. relativo) que; o qual, a qual

*quia*
(conj.) porque

*Quintus Horatĭus Flaccus*
(gen. *Quinti Horatĭi Flacci*) Quinto Horácio Flaco (poeta romano)

*quoque*
(adv.) também

*quotidĭe*
(adv.) diariamente

# R

*radĭus, -ĭi*
(m.) raio

*rana, -ae*
(f.) rã

*rapĭo, -is, -ĕre, -ui, -tum*
arrebatar, raptar

*raro*
(adv.) raramente

*recĭto, -as, -are, -avi, -atum*
recitar

*rectum, -i*
(n.) o bem; o direito

*redolĕo, -es, -ĕre, -ŭi*
cheirar

*regina, -ae*
(f.) rainha

*regno, -as, -are, -avi, -atum*
reinar

*remedĭum, -ĭi*
(n.) remédio

*renŏvo, -as, -are, -avi, -atum*
renovar

*res, rei*
(f.) coisa; estado; *res publĭca* Estado

*responsum, -i*
(n.) resposta

*rex, regis*
(m.) rei

*ridĕo, -es, -ĕre, risi, risum*
rir

*rigo, -as, -are, -avi, -atum*
regar

*Roma, -ae*
(f.) Roma

*Romanus, -a, -um*
romano

*rosa, -ae*
(f.) rosa

*ruber, -bra, -brum*
vermelho

*Rufus, -i*
(m.) Rufo (nome de homem)

*ruo, -is, -ĕre, rui, rutum*
precipitar-se

# S

*saepe*
(adv.) muitas vezes, frequentemente

*salse*
(adv.) espirituosamente

*salto, -as, -are, -avi, -atum*
dançar, pular

*salus, -utis*
(f.) saúde

*saluto, -as, -are, -avi, -atum*
saudar

*sapĭens*
(gen. *sapientis*) sábio

*satĭo, -as, -are, -avi, -atum*
saciar

*saxum, -i*
(n.) pedra, rochedo

*scelus, -ĕris*
(n.) crime

*schola, -ae*
(f.) escola

*scio, -is, -ire, -ivi, -itum*
saber

*scribo, -is, -ĕre, scripsi, scriptum*
escrever

*scriptum, -i*
(n.) escrito

*secreto*
(adv.) em segredo

*secundus, -a, -um*
segundo; propício, favorável

*sed*
(conj.) mas

*sedŭlus, -a, -um*
diligente, atento

*semper*
(adv.) sempre

*Sempronĭa, -ae*
(f.) Semprônia

*sententĭa, -ae*
(f.) sentença

*serva, -ae*
(f.) escrava

*servĭtus, -utis*
(f.) escravidão

*servo, -as, -are, -avi, -atum*
vigiar; conservar; salvar

*servus, -i*
(m.) escravo

*severus, -a, -um*
severo

*Sextus, -i*
(m.) Sexto (nome de homem)

*si*
(conj.) se

*sĭbi*
(pron.) para si, a si

*sic*
(adv.) assim

*sicut*
(conj.) assim como

*silva, -ae*
(f.) floresta, selva

*Silvĭa, -ae*
(f.) Sílvia

*sine*
(prep. de abl.) sem

*socer, -ĕri*
(m.) sogro

*socĭus, -ĭi*
(m.) companheiro

*sol, solis*
(m.) sol

*solus, -a, -um*
só, sozinho

*specĭes, -iĕi*
(f.) espécie

*spectator, -oris*
(m.) espectador

*spes, -ei*
(f.) esperança

***statim***
(adv.) logo

***statŭa, -ae***
(f.) estátua

***sub***
(prep. de abl.) sob; *sub divo* ao ar livre

***subĭto***
(adv.) de repente

***sum, es, esse, fui***
ser, existir

***sumo, -is, -ĕre, -psi, -ptum***
tomar

***sunt***
cf. SUM

***supersum, supĕres, -esse, -fŭi***
sobreviver

***supplĭco, -as, -are, -avi, -atum***
suplicar

***supra***
(prep. de ac.) sobre, acima de, além de

***surgo, -is, -ĕre, -rexi, -rectum***
levantar-se

***sutor, -oris***
(m.) sapateiro

***suus, -a, -um***
seu, sua

# T

***tabella, -ae***
(f.) tabela (para escrever)

***tacĕo, -es, -ere, -ŭi, -ĭtum***
calar-se

***tam***
(adv.) tão

***tandem***
(adv.) afinal

***taurus, -i***
(m.) touro

***te***
(pron.) te

***tela, -ae***
(f.) teia

***templum, -i***
(n.) templo

***tempus, -ŏris***
(n.) tempo

***tergum, -i***
(n.) costas

***terra, -ae***
(f.) terra

***tertĭus, -a, -um***
terceiro

***texo, -is, -ĕre, -ŭi, -tum***
tecer

***textura, -ae***
(f.) tecido

***Themis, -ĭdis***
(f.) Têmis (deusa da justiça)

***tibi***
(pron.) te, a ti

***timĕo, -es, -ere, -ŭi***
recear, temer

***tot***
(indecl.) tantos

***traho, -is, -ĕre, traxi, tractum***
arrastar

***tristis, -e***
triste

***tu***
(pron.) tu

***tum***
(adv.) então

***tuus, -a, -um***
teu, tua

# U

***ubi***
(adv. interrogativo) onde?; (conj.) onde

**ubique**
(adv.) por toda parte

**uimus, -i**
(f.) olmeiro

**umbra, -ae**
(f.) sombra

**unā**
(adv.) junto, juntos; em comum

**unda, -ae**
(f.) onda

**unus, -a, -um**
um; um só

**urbs, -bis**
(f.) cidade; *Urbs, -bis* (f.) Roma

**usus, -us**
(m.) experiência

**ut**
(conj.) como; para que; que

**utĭlis, -e**
útil

**uxor, -oris**
(f.) esposa

# V

**vae**
(interj.) aí!

**valde**
(adv.) muito

**valĕo, -es, -ere, -ŭi**
valer, estar bom

**vapŭlo, -as, -are, -avi, -atum**
apanhar, ser açoitado

**vasto, -as, -are, -avi, -atum**
devastar

**vehementer**
(adv.) muito

**vĕnĭo, -is, -ire, veni, ventum**
vir

**ventus, -i**
(m.) vento

**ver, veris**
(n.) primavera

**verbĕro, -as, -are, -avi, -atum**
açoitar, espancar

**verbum, -i**
(n.) palavra

**verĭtas, -atis**
(f.) verdade

**versus, -a, -um**
voltado, virado

**vester, -tra, -trum**
vosso

**vestĭfex, -fĭcis**
(m.) alfaiate

**vestis, -is**
(f.) roupa

**veterrĭmus, -a, -um**
sup. de VETUS

**vetus**
(gen. *vetĕris*) antigo, velho

**via, -ae**
(f.) via, rua

**vicinĭa, -ae**
(f.) vizinhança, proximidade

**victor, -oris**
(m.) vencedor

**victus, -a, -um**
cf. VINCO

**vidĕo, -es, -ere, vidi, visum**
ver

**vinco, -is, -ĕre, vici, victum**
vencer

**vir, viri**
(m.) homem, varão

**visĭto, -as, -are, -avi, -atum**
visitar

**vita, -ae**
(f.) vida

***vitĭum, -ĭi***
(n.) vício

***vito, -as, -are, -avi, -atum***
evitar

***vivo, -is, -ĕre, vixi, victum***
viver

***vobis***
(pron.) vos, a vós

***voco, -as, -are, -avi, -atum***
chamar

***volatus, -us***
(m.) voo

***volo, -as, -are, -avi, -atum***
voar

***volvo, -is, -ĕre, -i, volutum***
revolver, meditar

***vos***
(pron.) vós; vos, para vós

***vulnus, -ĕris***
(n.) ferida